Over van alles, maar vooral over de liefde

Tiny Fisscher

Over van alles, maar vooral over de liefde

moon

Lees ook de andere boeken van Tiny Fisscher:
Ontdekt! Dagboek van een aanstormend model
Beroemd! Dagboek van een model
Starbeach
Showtime!

Omslagontwerp Samantha Loman
Zetwerk ZetSpiegel, Best
www.tinyfisscher.nl
www.moonuitgevers.nl

ISBN 978 90 488 0112 1
NUR 284

Moon is een imprint van Dutch Media Uitgevers bv.

Uitgeverij Moon drukt haar boeken op papier met het FSC-keurmerk. Zo helpen we oerbossen te behouden.

'Alleen met het hart kun je goed zien,' zei de vos. 'Het wezenlijke is voor het oog onzichtbaar.'

Uit: *De Kleine Prins*, Antoine de Saint-Exupéry

Deel 1

Proloog

Ze zeggen dat ik te wijs ben voor mijn leeftijd. Niet alleen nu, maar ook vroeger toen ik nog klein was. Ik voel me niet te wijs, voor mij is dit normaal.
Een mens zou zich pas dingen kunnen herinneren vanaf zijn vierde levensjaar, zeggen ze, maar dat geldt niet voor mij. Ik weet nog dat mensen in mijn wieg keken en rare brabbelgeluidjes maakten, en dat ik dacht: praat tegen me, ik ben geen bàby!
Intussen snap ik best dat mensen zo tegen baby's doen. Het is niet de bedoeling dat baby's de wereld meteen begrijpen. Baby's horen de wereld woord voor woord, geur voor geur en kleur voor kleur te leren kennen.
Ik kende de woorden, de geuren en de kleuren al, hoewel ik dat aan niemand kon vertellen. Praten, zitten, kruipen, lopen: ook ik heb dat allemaal stapje voor stapje moeten leren. Wat een geduld moest ik daarvoor hebben. Want vanbinnen wist ik meer dan ik vanbuiten kon laten zien.
Veel meer...

1

Terwijl Brid haar gedachten de vrije loop laat, trapt ze, haar bovenlichaam voorovergebogen, tegen de onstuimige herfstwind in. Haar lange, roodbruine haar zit in haar capuchon verstopt, omdat het anders steeds voor haar gezicht waait. Ze is een haarelastiekje vergeten.

Ineens staat ze vol op de rem.

Shit, ik moet mama nog bellen!

Ze gaat op de stoep staan, vist haar mobiel uit haar tas en toetst het nummer van thuis in.

'Hoi mam,' zegt ze zodra de telefoon wordt opgenomen. 'Ik ga bij Emma eten, hoor.'

Emma is eerder weggegaan uit school omdat ze naar de tandarts moest, maar Brid had les tot het achtste uur. Ze hadden bij Emma afgesproken na school. 'En dan gaan we na het eten een filmpje kijken,' had Emma verlangend gezegd. De afgelopen weken hadden ze zoveel huiswerk gehad dat er van vrije tijd weinig sprake was geweest. Vandaag waren ze eindelijk een keer huiswerkvrij.

Brid kijkt snel op de display van haar mobiel om te checken of de verbinding niet per ongeluk is verbroken. Haar moeder heeft nog niets teruggezegd.

'Mam, hoor je me?'

'Ja, ik hoor je,' antwoordt haar moeder eindelijk. 'Maar je kunt niet bij Emma eten.' Haar stem klinkt vreemd. Alsof de woorden hebben klem gezeten in haar keel en zich nu met moeite weten los te breken. 'Wil je nú naar huis komen, Brid... alsjeblieft,' vervolgt ze, voor haar doen ongewoon dwingend.

Wat raar, denkt Brid. Anders mag ik altijd bij Emma eten.

Ineens ziet ze een flits voor haar ogen. Een donkerpaarse, deze keer.

Brids hart slaat over.

Shit, het komt weer terug...

Het is een tijdje weg geweest, maar zo lang ze zich kan herinneren heeft Brid de wereld als een schouwspel van kleuren ervaren. Al vanaf haar geboorte kon ze wolken van licht om mensen zien – en vaak ook om dieren en planten. Naarmate ze ouder werd, zag ze dat licht steeds minder vaak. Niet omdat ze het niet meer kón zien, maar omdat ze het niet meer wilde. Ze wilde met mensen van vlees en bloed te maken hebben, niet met de kleuren om hen heen. Dat leidde alleen maar af. Ze leerde zichzelf hoe ze het licht moest negeren, hoe ze het als het ware uit kon zetten. Maar sinds kort zijn er die flitsen. Zonder enige vooraankondiging. BENG!

Paars...

Een beklemmend gevoel in haar hartstreek, alsof iemand zijn hand ertegenaan zet en heel hard duwt.

Er is iets, iets ergs. Iets wat mama niet over de telefoon kan vertellen...

Terwijl Brid weer op haar fiets springt, moet ze ineens aan Stip denken. Tweeënhalf jaar geleden was het, in mei. Hij was oud voor een dalmatiër, zestien jaar al, maar nog steeds gezond. Ineens hield zijn hart ermee op. Hij viel zomaar om.

Brid wist niet beter dan dat Stip er altijd al was geweest; hij was er al toen zij geboren werd.

Toen hij dood was, had ze wel een uur met haar armen om hem heen naast hem gelegen. Langzaam voelde ze zijn lichaam kouder worden. Alsof ze dat móést voelen om er zeker van te zijn dat hij echt dood was.

Daarna begroeven ze hem in de tuin. De letters op het bordje dat Brid voor hem had gemaakt, zijn bijna niet meer te lezen. STIP stond er. Met hartjes eromheen getekend.

Brid hapt naar adem. Ineens herinnert ze het zich weer: vlak voordat haar moeder haar vertelde dat Stip dood was, had ze een paarse flits gezien...

Brids mond voelt droog. Het drukkende gevoel op haar borst wordt groter.

Paars... Wie is er dood?

Gehaast opent Brid de garagedeur en smijt haar mountainbike tegen de oude stadsfiets van haar vader. De plek waar zijn auto hoort te staan, is leeg.

Brid krijgt nauwelijks adem. Met moeite schuift ze de toegangsdeur naar de eerste verdieping open en rent de trap op.

In de keuken treft ze haar moeder aan met een doos Kleenex voor haar neus. Haar ogen zijn vochtig en roodomrand. Uitgelopen mascara vormt grillige strepen op haar wangen.

Ze steekt haar handen uit en trekt Brid tegen zich aan. 'Niet schrikken,' zegt ze zachtjes. 'Niet schrikken, maar...' Haar stem stokt.

Brid voelt het bloed uit haar gezicht wegtrekken.

Niet schrikken, maar dat doe ik wél.

En dan, nog voordat haar moeder een naam heeft genoemd, weet Brid het. Het is heel erg, verschrikkelijk zelfs, maar het had nog erger gekund...

Haar moeders lippen bewegen: 'Opa is dood.'

Een paarse flits schiet voor Brids ogen langs, direct gevolgd door een goudgele. Even trekt er een zweem van misselijkheid door haar lichaam, maar die verdwijnt weer net zo snel als hij gekomen is. Als een golf die aanspoelt op de kust, maar zich meteen weer terugtrekt omdat hij zich heeft vergist en daar helemaal niet moest zijn.

Haar moeder neemt Brids gezicht in haar handen en barst in snikken uit.

'Een hartaanval.' Haar stem klinkt gesmoord. 'Het was meteen gebeurd.' ('Ik teken ervoor,' zou Brids vader later zeggen. 'Voor de nabestaanden een schok, voor de overledene een zegen.')

Hoewel ze op haar veertiende al groter is dan haar moeder, gaat Brid toch bij haar op schoot zitten en houdt haar stevig vast. Zachtjes wiegt ze haar moeder heen en weer, alsof ze een baby is.

Zelf moet ze niet huilen.

Nog niet.

'Helena, schatje,' zegt Ray, Brids vader, als hij even later haastig binnen komt rennen. 'Sorry dat ik mijn telefoon niet hoorde.' Hij stapt op zijn vrouw af en slaat zijn armen om haar heen.

Brid, die thee aan het maken is, draait zich van achter het

aanrecht om en kijkt hem onderzoekend aan. Zijn stem klinkt raar.

Schuldig. Hij voelt zich schuldig. Dat is maar goed ook. Als de vader van je vrouw doodgaat, dan hoor je de telefoon op te nemen. Meteen, en niet pas na vijf minuten.

Helena verbergt haar gezicht in Rays vaalblauwe verwassen T-shirt, waarin hij zo te zien heeft zitten werken.

Ray is fotograaf, maar aan de achterkant van zijn studio heeft hij ook een ruimte waar hij, zoals hij het zelf noemt, met zijn achternaam stoeit: Koperdraad. Wat begon als een grap en uitgroeide tot een hobby, is in de loop der jaren zijn tweede beroep geworden. Zijn bijzondere sculpturen van koperdraad vinden langzamerhand steeds meer aftrek.

Als hij aan het werk is, kan hij zo geconcentreerd bezig zijn dat de wereld om hem heen kan vergaan zonder dat hij het in de gaten heeft. Drie telefoontjes van Helena bleven onopgemerkt. Pas bij het vierde nam hij op.

Als een resusaapje klampt Helena zich aan Ray vast en klauwt haar handen in zijn rug. Ze huilt alsof ze dat jarenlang niet heeft gedaan. Terwijl dat nog eergisteren was, toen ze haar hand brandde aan de koekenpan. Toen huilde ze van de pijn. Nu ook, maar niet van pijn aan haar hand...

'Hij zou toch honderdtwintig worden?' zegt Helena na een poosje. Haar stem klinkt als die van een kind.

Ray vertrekt zijn gezicht in een grijns. 'Dat is wel erg oud. Dan zouden jullie op een dag samen in het bejaardenhuis hebben gezeten.'

Ineens moet Brid aan opa's verjaardag denken, vorig jaar, toen hij negenenzeventig werd.

Zoals elk jaar gaf hij tijdens zijn verjaardagsetentje zijn

zoon Frans en zijn dochter Helena een envelop met geld, een soort omgekeerd verjaardagscadeautje. Dit keer kregen ze meer. 'Mijn tachtigste verjaardag vier ik niet,' zei opa stellig. Niemand had dat begrepen, want hij vierde zijn verjaardag altijd. Dan gingen ze met zijn allen uit eten bij de chinees. Nummer 44, 89, 17 of 32, ze mochten alles bestellen – alles waar ze maar trek in hadden. De gerechten gingen tot en met nummer 321, inclusief toetjes.

Brid grijnst. Om alle gerechten een keer te proeven, had opa nog veel ouder moeten worden dan honderdtwintig.

Vanaf het aanrecht kijkt ze naar haar ouders. Het vervelende gevoel dat ze net had toen Ray binnenkwam, is verdwenen. Met zijn rechterhand streelt hij Helena's achterhoofd. Heel zachtjes.

Lief...

2

Zeven begrafenissen heb ik al meegemaakt. Die van opa Koperdraad, (oma Koperdraad heb ik niet gekend, die was al dood voordat ik er was), oma De Lange, een buurvrouw, een buurman, iemand van school en Lodewijk, een vriend van mama. En natuurlijk die van Stip, dat maakt zeven.
De begrafenis van Opa de Lange wordt de achtste.
Ik ben pas veertien.
'Nog zo jong en nu al een expert in begrafenissen,' zei Ray na de begrafenis van Lodewijk, een goede vriend van mama die vorig jaar ineens doodging. Vlak bij ons huis nog wel.
Ray had grote lampen op straat zien staan, lampen zoals op een filmset worden gebruikt. Hij dacht dat er filmopnamen waren, maar later bleek dat het om een politieonderzoek ging. Er was een dode man op straat gevonden zonder identiteitspapieren op zak. Niemand wist wie hij was. Een 'John Doe' zoals ze in politiefilms zeggen. Later bleek het dus om Lodewijk te gaan.
Hij was op de terugweg van een wandelingetje. 'Nou, wándelingetje...' had Ray gezegd. Lodewijk ging vaak naar het park om jongens te versieren. Ook dit keer. Op de terugweg zakte hij in elkaar. Dat hij nog één keer in de spotlights zou staan, ook al was het niet in levenden lijve op het toneel maar dood op een stoep, zou Lodewijk zelf vast een goede grap

hebben gevonden. Hij was danser (op spitzen, op tapdansschoenen, op blote voeten, op kunstschaatsen, op stelten: hij danste zo ongeveer op alles) en stond graag in het middelpunt van de belangstelling. Nog één keer showtime voor Lodewijk. Op een kille, onpersoonlijke stoep in Amsterdam-Zuid.

Helena schrok niet eens heel erg toen ze hoorde dat hij dood was. Wel van de manier waarop het was gegaan: anoniem en op straat. Ze moesten iemand uit de telefoonlijst van zijn mobieltje bellen om erachter te komen wie hij was. Maar Lodewijk had een hartkwaal en dat hij niet heel oud zou worden, wisten we wel. Dat hij de vijftig had gehaald, was al een wonder.

Op de begrafenis lag hij in een open kist. Dood zag hij er heel anders uit dan levend. Niet zoals Stip, die dood nog precies hetzelfde was.

Lodewijk lag er een beetje verkreukeld bij, en je kon zien dat zijn lippen aan elkaar gelijmd zaten. Het was Lodewijk niet meer. Hij was alleen nog maar een soort pop. De rest van hem was weg. Ook het licht om hem heen was verdwenen. Ik probeerde dat nog te zien, maar er was geen sprankje, niks.

Ik kende Lodewijk al mijn hele leven, hij paste vaak op me toen ik nog klein was. Toch moest ik niet huilen toen ik hoorde dat hij dood was. Ik voelde me juist rustig.

Stips hart hield er zomaar ineens mee op. Dat van Lodewijk ook.

En nu opa. Het lijkt wel mode...

Met haar schrift op schoot staart Brid in de vlam van de zoet geurende vanillekaars. Van kaarsen wordt ze altijd rustig.

Toch snapt ze niet zo goed dat dit ook nu zo is: haar lievelingsopa is dood, haar moeder is in alle staten en ze mist in ieder geval een dag school, waardoor ze ook Menno nog eens niet ziet.

Toch voelt het alsof alles klopt.

Misschien is ze inderdaad wel een beetje raar, zoals mensen wel eens over haar zeggen.

'Maar wel leuk raar,' zegt haar vriendin Emma altijd.

Dat is niet erg, vindt Brid. Leuk raar is wel oké.

Haar vaders stem klinkt van onder aan de trap.

Brid legt haar schrift weg en knijpt tussen twee vochtige vingers de kaars uit. Even blijft ze met haar neus vlak boven de kaars hangen.

Vanille, mmm, lekker.

3

Laat in de middag arriveren ze bij opa's huis in het dorp aan de kust, waar hij bijna veertig jaar heeft gewoond en waar zijn kinderen zijn geboren. Aan de achterkant heeft het huis uitzicht op een kerk. Opa's kerk.

En mama's kerk toen ze nog klein was en mee moest, denkt Brid. Elke zondag.

Vanuit die kerk wordt opa begraven, bij oma, in het familiegraf.

'Zijn ze eindelijk weer met z'n tweetjes,' zei Helena.

'In zijn favoriete houding: bovenop,' grapte Ray daar meteen achteraan.

Brid vindt het fijn dat er tussendoor ook grapjes gemaakt kunnen worden. Helemaal in opa's stijl, vindt ze. Opa zou er waarschijnlijk hard om hebben gelachen.

Oma Mies, Brids stiefoma, doet open.

Opa was nog maar een halfjaar weduwnaar toen hij al op zoek ging naar een nieuwe vrouw. 'Ik vind het niet leuk, alleen zijn,' had hij gezegd. 'En oma krijg ik toch niet terug.'

Hij zette contactadvertenties in katholieke blaadjes, want ze moest natuurlijk wel op zijn manier in God geloven.

Tot zijn eigen verbazing kreeg hij een stapel brieven en

ging hij 'op de versiertoer', zoals Ray het noemde. Voor opa De Lange betekende dat koffiedrinken op een voor beide partijen goed bereikbare plek.

'Volgens mij heeft hij alle wegrestaurants van Nederland gezien,' zei Helena later.

'Nou, gezíén...' merkte Frans, haar vijf jaar oudere broer, op.

Opa's ogen waren de afgelopen jaren steeds slechter geworden. Hij had een oogziekte: droge maculadegeneratie. Brid had dat woord uit haar hoofd geleerd. Ze vond het een mooi woord, veel te mooi voor zo'n rotziekte. Op het laatst zag opa alleen aan de rand van zijn gezichtsveld nog iets. Verder alleen maar schaduwen. Dat leek Brid afschuwelijk. Als ze moest kiezen, werd ze liever doof.

Gelukkig hoeft ze niet te kiezen en doet alles bij haar het nog. Nog heel lang, hoopt ze.

Brid was erbij geweest toen haar moeder tegen opa was uitgevaren omdat hij nog autoreed, terwijl hij steeds slechter begon te zien. 'Moet u eerst een kind doodrijden voordat u ermee stopt?' had Helena fel uitgeroepen.

Een week later maakte hij zijn laatste ritje. Niet omdat hij daar zelf voor koos, maar omdat hij bij de dokter was, die hem vroeg zijn rijbewijs te laten zien. Voor opa's ogen verscheurde hij het roze papier in stukken.

RATS, RATS. Zijn weg naar de wereld, in snippers...

'U mag nooit meer rijden,' zei de dokter.

En dat was dat. Vanaf die dag reed oma Mies.

Hoewel opa daarna zijn auto nog wel regelmatig de garage in reed. Het enige wat er dan eventueel mis kon gaan, was blikschade, zei hij. Maar zijn zilvergrijze kameraad, waarmee hij bijna vergroeid was geraakt, liep in al die jaren nog geen schrammetje op.

Alsof de auto hem nog een laatste plezier wilde doen...

Brid geeft oma Mies een kus. Het puntje van oma's neus is rood en nat.

'Stom hè, dat hij dood is?' zegt ze, terwijl ze haar met ringen getooide handen om Brids schouders legt. 'We hadden het zo fijn samen.'

Brid knikt. Ja, dat wist ze. Het duurde een paar scharrels en op niets uitgelopen relaties, voordat opa Mies was tegengekomen. Hij was niet meteen verliefd op haar geworden, dat kwam pas later. Er was maar één ware voor opa en daar konden geen honderd Miesen iets aan veranderen. Ook toen opa later best een beetje verliefd op haar werd, bleef ze 'tweedehands'.

Een paar jaar later waren ze getrouwd, alleen voor de kerk, want anders raakte Mies haar pensioen kwijt. 'Zonde,' zei ze, 'daar heb ik mijn leven lang voor geploeterd.' Jarenlang had ze in de drukkerij van haar man gewerkt. Te lang, naar haar smaak. Ze was blij geweest toen het erop zat en haar man met pensioen ging.

Mies was graag onafhankelijk, ook toen ze met opa was getrouwd. Ze had dan ook haar eigen flat aangehouden. Twee keer per week was ze daar, als ze ging kaarten of shoppen met vriendinnen. 'Ik ben jarenlang alleen geweest,' had ze gezegd. 'Ik geef mijn eigen leven niet helemaal op.'

Opa had zich daar na wat tegenstribbelen bij neergelegd. 'Hoewel hij liever een huishoudster voor dag en nacht had gehad,' had Ray wel eens gekscherend gezegd.

Nu heeft opa niemand meer nodig, flitst het door Brids hoofd. Geen huishoudster én geen vrouw...

Nieuwsgierig kijkt ze langs oma Mies heen de woonkamer in, waar ze verwacht een kist te zullen aantreffen. Ze wil weten of opa er nu ook uitziet als een pop, net als Lodewijk. En net als oma, toen Brid nog maar twee was, maar wat ze zich nog heel goed weet te herinneren. Oma had toen ook thuis opgebaard gelegen. Helena durfde eerst niet in de kist te kijken. Dat vond ze eng, weet Brid nog.

Zelf vond Brid het niet eng. Ray tilde haar op, zodat ze kon kijken. Ze kon meteen zien dat het niet echt oma was in die kist. Haar buitenkant lag er nog, maar oma zelf was allang weg. Voor Brid was dat zo duidelijk als wat, hoewel ze dat aan niemand kon uitleggen; wie luistert er nou naar een kind van twee dat nog maar net begint te praten? 'Oma weg,' had ze geprobeerd, maar iedereen had daar hartelijk om moeten lachen. Frustrerend had ze dat gevonden. Want oma was écht weg...

Helena was toen ook heel verdrietig geweest, maar anders verdrietig dan nu, merkt Brid. Stiller.

Nu zijn allebei haar ouders er niet meer. Nu is ze wees.

Brid loopt de woonkamer in. Verbaasd kijkt ze rond. 'Waar is opa dan?'

'In het rouwcentrum natuurlijk,' antwoordt oma Mies, alsof Brid geen raardere vraag had kunnen stellen.

Brid trekt haar wenkbrauwen op. 'Waarom?'

'Oma Mies wilde niet dat hij thuis zou worden opgebaard,' antwoordt Helena zachtjes.

'Dat is niet eerlijk,' zegt Brid. Haar gedachten gaan naar twaalf jaar geleden, toen oma na een hartoperatie aan allerlei slangen en apparaten lag. 'Ik kom weer thuis, hoor,' had oma gezegd.

Ze had gelijk gekregen. Ze kwám thuis. Waarschijnlijk niet zoals ze had bedoeld, maar dat was voor opa reden te meer om haar thuis te laten opbaren. De drie dagen dat ze daar was, roerloos en stil, at opa elke ochtend naast de kist zijn bordje pap en praatte dan tegen haar. 'Dag lieve schat,' zei hij dan. En dat hij zoveel van haar hield en dat altijd zou blijven doen.

Brid zucht. Een plaatsvervangende eenzaamheid bekruipt haar.

Nu doet niemand dat bij hem.

In een rouwcentrum eet je geen pap...

Iedereen heeft zich intussen in het oude hoekhuis aan de Oranjestraat verzameld, ook de kinderen en kleinkinderen van oma Mies. Ook al is opa jarenlang met oma Mies getrouwd geweest, toch heeft Brid haar familie nog niet zo vaak gezien. Alleen op de bruiloft en een paar keer op een verjaardag. Vanuit de deuropening kijkt ze even onderzoekend de huiskamer rond. De robuuste eikenhouten meubels zijn niet van hun plaats geweken en de planten in de vensterbank staan zoals altijd in bloei.

Ze zijn van plastic.

Brid geeft iedereen een hand en mompelt wat. Hoe lang heeft ze deze mensen al niet gezien? Ze weet hun namen niet eens meer...

Iedereen herinnert zich nog wel hoe Brid heet. Het duurt gelukkig niet lang of ieders naam is wel een keer door iemand genoemd, zodat Brid het aan niemand hoeft te vragen.

Frans, de broer van Helena, is er ook. Brid heeft één oom,

maar al had ze er tien gehad, dan was Frans waarschijnlijk evengoed haar lievelingsoom geweest. Je kunt ontzettend met hem lachen. Er zijn genoeg mensen die zijn humor niet begrijpen, maar Brid en haar ouders gelukkig wel. 'De Lange-humor', zo noemt Helena het.

Nu houdt hij zich in, merkt Brid. De familie van oma Mies zou zijn grapjes nu waarschijnlijk niet kunnen waarderen – áls ze dat al kunnen. Maar nu is er iemand dood en dat is heel erg en dan hoor je niet te lachen.

Brid snapt dat niet zo goed. Opa was juist dol op grapjes. Hij was altijd degene met een moppenboekje op zak. Oom Frans heeft zijn humor geërfd.

Brid grijnst. Helena vertelde laatst nog dat toen oma werd begraven en haar kist werd dichtgeschroefd, Frans – die in zijn vrije tijd wel eens aan oude auto's sleutelt – droogjes had opgemerkt: 'Zo, na tweeduizend kilometer nog even aandraaien.' Ook Helena had hierom in een deuk gelegen. 'Je kunt niet vier dagen blijven huilen,' zei ze. 'Op een gegeven moment zijn je tranen op.'

Mijn tranen komen maar niet, denkt Brid. Iedereen hier huilt of hééft gehuild.

Behalve ik...

Nu iedereen er is, vertelt oma Mies nog een keer wat er is gebeurd.

Ze waren in de caravan. Zoals iedere ochtend had opa net zijn honderd knieheffingen gedaan, een soort joggen op de plaats waarbij hij zijn knieën om de beurt flink omhoogbracht. Ineens zakte hij in elkaar. 'Mies, ik voel me niet lekker,' zei hij, terwijl hij zich nog net in een stoel kon laten vallen. Even later was hij dood.

'Een prachtdood,' zegt Frans met een bijna verlangende blik in zijn ogen.

Met een nieuwe, nog dubbelgevouwen papieren zakdoek veegt oma Mies langs haar rood geaderde wangen. 'Ja,' zegt ze. 'Voor hem wel...'

Voor haar natuurlijk niet, schiet het door Brids gedachten. Het zal je maar gebeuren: zij zou zich kapot schrikken als iemand voor haar neus ineens dood zou neervallen.

'Je hoeft niet te schrikken, ik ben waar ik moet zijn en nergens anders.'

Brid verstijft. Haar adem stokt.

Opa?

Ze kijkt om zich heen. Niemand let op haar. En niemand anders lijkt opa's stem te hebben gehoord. Was het hem echt of had ze het zich verbeeld?

'Opa, waar ben je dan?' vraagt ze in gedachten. Ze moet stiekem om zichzelf lachen. Ze zegt zomaar 'je' tegen opa...

Een moment blijft het stil in haar hoofd.

'Ach, wat maakt het uit hoe dat heet?' antwoordt opa dan. *'Maar ik noem het de hemel.'* Zijn stem klinkt net zo stellig als toen hij nog leefde. Brid grijnst. Opa was heel gelovig. Je had Jezus en Maria en God, en wat anderen daarvan dachten, moesten ze zelf maar weten.

'En hoe is het daar?' wil ze weten.

'Mooi, anders, vrij...' Opa's stem sterft weer weg.

Stilte.

Niks.

Alsof de telefoonverbinding ineens weer is verbroken.

Vertwijfeld leunt Brid achterover in haar stoel. Was dit echt opa's stem? Praatte hij nou met haar of heeft ze het zich toch verbeeld? Bijna onmerkbaar schudt ze haar hoofd. Nee, ze heeft het zich niet verbeeld. Dit was echt opa, ook al is hij niet meer hier...

Ze kan het bijna niet geloven. Jeetje, ik lijk Char wel, denkt ze, of Derek Ogilvy. Nu kan ik dus niet alleen aura's zien, maar heb ik ook nog contact met mijn dode opa. Zomaar, per ongeluk.

Ze wrijft met haar handen over haar gezicht. Opa's stem klonk zo vertrouwd, alsof hij gewoon naast haar in de kamer zat... alsof hij nog leefde. Maar dat is niet zo. Opa is zo dood als een pier. Zelfs in haar gedachten kan Brid zijn aura niet meer tevoorschijn toveren.

Hij is nu een pop, en poppen hebben geen aura's. Ook geen kleintje...

Brid neemt de mensen om haar heen stuk voor stuk in zich op. Ze gelooft niet dat ze dit aan iemand kan vertellen. Misschien later, aan Helena, maar zeker niet aan oma Mies en haar kinderen. De familie van oma Mies vindt haar waarschijnlijk toch al een beetje raar. 'Brid is geen doorsneemeisje,' hoort ze oma Mies nog zeggen toen de twee families elkaar voor het eerst ontmoetten. Brid wist niet zo goed wat oma daarmee bedoelde, ze was toen pas een jaar of zes. Later begreep ze dat oma Mies haar zo wijs uit haar ogen vond kijken. Soms schrok oma Mies daarvan, had ze Helena een keer bekend. 'Alsof ze met haar groengrijze ogen dwars door je heen kijkt.' Maar zo is het niet, weet Brid. Ze kijkt niet door mensen heen. Ze ziet gewoon wie ze zijn, dat is alles.

Zo heeft ze allang in de gaten dat de twee dochters van oma Mies die er met hun man en kinderen zijn, het helemaal niet zo goed met elkaar kunnen vinden als het lijkt. Ze doen maar alsof.

Heel veel mensen doen alsof…

Brid heeft geen broer of zus, ze weet dus niet hoe dat is. Maar met Mia heeft ze nooit gedaan alsof. En Mia bij haar ook niet. Ze zijn altijd dol op elkaar geweest. Misschien was dat juist omdat ze nichtjes waren, en geen zussen; als je elkaar dag in dag uit ziet, is de kans veel groter dat je elkaar in de haren vliegt.

Brid kan trouwens wel zien dat de dochters van oma Mies het écht erg vinden dat opa dood is, dat is niet alsof. Ze vinden het rot voor hun moeder, die tien jaar jonger is dan opa, en die het zo met hem naar haar zin had. Opa was haar lot uit de loterij, had ze wel eens gezegd.

Intussen wordt Brid steeds nieuwsgieriger naar opa. Hoe ziet hij er nu uit? Ze wil het zien. Eerder mag hij niet in een kist. En zeker niet met het deksel erop.

Wat jammer dat hij niet thuis is, waar hij graag was – of waar hij in ieder geval graag terugkwam als hij op reis was geweest. Als hij nu hier was, zou Brid naar hem kunnen kijken wanneer ze maar wilde. Twee minuten, tien, een halfuur.

Zoals met haar eerste opa, die doodging toen ze vier was. Ze moest toen op een krukje gaan staan om hem te kunnen zien. Zijn haar zat ineens heel anders: niet meer stijf achterover gekamd, maar in losse lokken. Zijn oren leken ook ineens groter.

Nu hoeft ze niet meer op een krukje, realiseert Brid zich. En moet ze wachten tot ze naar het rouwcentrum gaan. Ze kijkt naar haar oom Frans, die voorzichtig een slokje van zijn net ingeschonken koffie neemt. Hij heeft opa wel al gezien. Toen hij het bericht kreeg, is hij meteen naar opa's caravan gereden om dingen te regelen en zijn vader terug naar huis te krijgen. Helena was in Amsterdam gebleven om Brid en Ray op te wachten. Voor mama is het alleen nog maar een verhaal dat haar vader dood is, denkt Brid. Wat zal ze schrikken als ze hem ziet...

'Daar zul je de mensen van de begrafenisonderneming hebben,' zegt oma Mies als de bel gaat. Rouwadvertentie, kaarten, kist – alles moet geregeld worden. Een mevrouw van de begrafenisonderneming krijgt koffie en stelt vragen.

Frans wil de eenvoudigste kist die er is. Oma Mies wil dat beslist niet.

'Je vader was geen zwerver,' zegt ze scherp.

'Nou...' zegt Frans. 'Hij was er vaker niet dan wel.'

Opa was vaak op pad geweest. Niet alleen gingen oma Mies en hij vaak naar opa's stacaravan in het zuiden van het land, maar ook naar Spanje, Frankrijk, Duitsland en Italië, en zelfs naar Nieuw-Zeeland, waar de zoon van oma Mies woont.

'Hij verdient een mooie kist,' zegt oma Mies.

'Zonde,' zegt Frans. 'Hij gaat toch onder de grond.'

Ze bekijken foto's van kisten en voorbeelden van rouwkaarten. Iedereen wil iets anders.

En dan ineens springt Helena op.

'Mijn vader schijnt dood te zijn!' schreeuwt ze met gebalde vuisten. 'En hij gaat straks in een kist – in een *WHATEVER* kist! – maar ik heb hem nog niet eens gezien! Ik wil hem zien! Ik wil zíén dat hij dood is!'

Iedereen schrikt zich rot, ook de begrafenisonderneemster.

Brid houdt haar adem in. Dit heeft ze nog nooit meegemaakt. Helena schreeuwt nooit. Ze is meer een ingetogen type.

Terwijl Brid naar haar moeder kijkt, beseft ze met een schok dat het inderdaad waar is wat ze net had gedacht.

Mama kan het nog niet geloven. Ze kan nog niet geloven dat het verhaal van haar dode vader echt waar is...

Ineens ziet Brid haar moeders hoofd gehuld in een donkerrode wolk. Haar maag krimpt ineen. Het is dezelfde kleur die ze wel eens ziet als er een leraar ontploft, of als iemand zijn hond al twintig keer heeft geroepen, die eerst op zijn gemak het park leegvreet voordat hij naar zijn baasje luistert. Een wolk van woede, van frustratie.

Na haar uitval slaat Helena haar handen voor haar ogen en barst in huilen uit.

De begrafenisonderneemster klapt resoluut haar map dicht en staat op.

'Dan gaan we nu eerst naar het rouwcentrum,' zegt ze. Met een begripvol gebaar legt ze een hand op die van Helena.

Daar meent ze niks van, voelt Brid. Ze doet alsof...

Het rouwcentrum ligt op vijf minuten rijden van opa's huis. Ze gaan er met drie auto's heen.

Het gebouw is opgetrokken uit kille bakstenen. Ook binnen ziet het er niet bepaald gezellig uit. Doden hebben geen behoefte aan gezelligheid.

De mensen die hier werken kennelijk ook niet. Ze zijn zo beleefd en praten zo zachtjes, dat Brid bijna 'Poep!' tegen ze zou willen roepen om te controleren of het wel echte mensen zijn. Waarschijnlijk zouden ze dan nóg begripvol en beleefd blijven glimlachen. Toch heeft Brid met hen te doen. Het is al avond en ze zien er moe uit.

Misschien zijn die mensen al sinds vanochtend aan het werk. Doodgaan gebeurt niet altijd keurig tussen negen en vijf, doodgaan kan vierentwintig uur per dag.

Opa ligt helemaal in zijn eentje in een kamertje.

Heel erg alleen en heel erg stil.

Brid voelt haar hart een slag overslaan. Dit is haar opa, en toch ook weer niet. Hij lijkt wel van was.

Inderdaad, net een pop. Een verkreukelde pop...

Zijn mond is nog niet dichtgeplakt en staat een beetje open. Alsof hij nog iets wil zeggen, maar niet kan besluiten wat.

Met zijn allen staan ze om de tafel waarop opa ligt. Frans en Helena het meest dichtbij. Helena durft alleen door een kiertje tussen haar vingers naar haar vader te kijken.

'Nee...' kreunt ze een paar keer. Haar schouders schokken.

Brid slaat haar arm om haar moeders middel. Ray staat aan de andere kant en slaat zijn arm om Helena's schouders. Zo staan ze daar, met zijn drieën. Dichter bij elkaar kan bijna niet.

Oma Mies staat aan de andere kant van de tafel, samen met Frans. Hij pakt een zakdoek uit zijn jaszak en veegt daarmee even langs zijn neus. Oma Mies huilt niet. Ze zucht alleen. Hoewel haar neus nog steeds nat is. Het lijkt alsof ze alleen huilt met haar neus.

Haar twee dochters staan er bij het voeteneinde van de lijktafel een beetje verloren bij. Hun eigen vader hebben ze al begraven, realiseert Brid zich. Voor hen is dit een herhalingsoefening. Opa De Lange was hun nepvader, niet hun echte. Net zoals oma Mies niet háár echte oma is.

Dan, met een plotselinge ruwe beweging, maakt Helena zich van Brid en Ray los en stuift de rouwkamer uit, de lange stenen gang door, naar buiten.

Schreeuwend, als een gewond dier.

Geschokt staart Brid haar na. Ineens voelt ze tranen opwellen. Ze weet meteen dat ze niet huilt om opa of om zichzelf.

Ik moet huilen om mama...

Brid, Ray en Frans rennen Helena achterna.

Ze vinden haar terug met haar armen om een dikke boom geslagen. Haar wang rust ertegenaan. Ze schreeuwt nog steeds, met haar ogen dicht. Eigenlijk is het geen schreeuwen meer, het is eerder een rauw kreunen. Haar gezicht, dat glimt van de tranen, steekt bleek af bij de donkerbruine boombast.

Brid schrikt. Ze heeft haar moeder nog nooit zo gezien. Zelfs niet toen oma doodging. Toen was ze ook verdrietig, maar stil verdrietig.

'Niet schrikken, Brid,' klinkt opa's stem weer, helder en duidelijk. *'Laat haar maar huilen. Ze is nu erg in de war, maar dat gaat wel over.'*

Brid kijkt snel om zich heen. Ook nu lijkt niemand anders opa's stem gehoord te hebben. In gedachten stelt ze een vraag:

'Opa, bent u het echt of ben ik gek aan het worden?'

Opa grinnikt. *'Ik ben het echt.'*

Iedereen staat aangeslagen naar Helena te kijken. Oma

Mies en haar familie vanaf een afstandje, in de deuropening van het rouwcentrum.

Dan ziet Brid een goudgele flits. Heel even.

Donkerpaars...

Goudgeel...

Een zucht ontsnapt aan haar keel. Nu begrijpt ze het. Voor opa is de dood juist licht en niet donker!

'Goed zo, Brid,' hoort ze opa instemmend zeggen. *'En niet alleen voor mij, de dood ís alleen maar licht...'*

Zijn stem sterft weer weg.

De dood is alleen maar licht... Brid weet niet of ze dat moet geloven. Is de dood ook licht als je overreden wordt door een vrachtwagen, of als in een oorlogsland een handgranaat je aan stukken scheurt? Of is de dood alleen licht als je na honderd knieheffingen dood neervalt op je stoel?

Langzaamaan wordt Helena rustiger. Ze huilt nog wel, maar zachtjes.

Brid legt haar hand op haar moeders rug. 'Stil maar...'

'Nee hoor, huil eerst maar lekker uit,' zegt Frans, met zijn hand om een zakdoek geklemd.

Het is een witte zakdoek met een donkerblauw randje, ziet Brid. Zelfs de zakdoek lijkt in de rouw.

Frans' krullende, zwarte haar, dat bijna zo dik is als de vacht van een schaap, glinstert van de ragfijne motregendruppels die na hun zachte landing roerloos blijven liggen.

Brids steile haar reageert anders; dat druipt al aan de puntjes.

Ray heeft zijn armen om Helena heen geslagen en verstopt zijn gezicht in haar donkergroene wollen jas, die dezelfde kleur heeft als de bladeren aan de boom een paar maanden geleden. Nu zijn die bladeren goudgeel en er zijn er nog maar weinig die zich aan de takken hebben weten vast te houden. De meeste hebben losgelaten en zijn op de grond gedwarreld, als deken voor de doden: zowel voor de oude, die hier al jaren liggen, als voor de nieuwkomers, zoals opa.

Helena lijkt niet eens te merken dat er mensen om haar heen staan.

Arme mama, denkt Brid. Volgens mij weet ze niet eens wie haar nu vasthoudt...

Helena klemt haar armen om de boom alsof ze wil dat hij haar verdriet wegneemt.

Of haar vader aan haar teruggeeft.

Als ze zich eindelijk van de boom losmaakt en met een verdwaasde blik om zich heen kijkt – alsof ze even niet weet waar ze is – maakt de boom een fluisterzacht, zuchtend geluid.

Ook nu heeft Brid het idee dat zij de enige is die dit hoort... Ze kijkt omhoog tot aan de boomkruin en daar ver voorbij, naar de hemel, waar ze de maan als een bleke sikkel aan de hemel ziet staan. De ronding zit aan de linkerkant.

Afnemende maan, weet Brid.

4

'Wat erg, van je opa,' zegt Emma die avond aan de telefoon.

'Ja,' zegt Brid. 'Misschien niet eens voor hemzelf, maar wel voor ons.'

En voor mama nog het meest...

Brid aarzelt. Ze zou Emma willen vertellen over de paarse en goudgele flitsen, en over opa's stem die tegen haar praat. Maar hoewel Emma haar beste vriendin is, weet Brid niet of ze het zou begrijpen. Ook al zijn ze sinds de kleuterschool onafscheidelijk, ze lijken totaal niet op elkaar. Niet vanbuiten en niet vanbinnen.

Emma is nuchter, direct, open en heeft graag mensen om zich heen.

Brid is juist dromerig, de kat uit de boom kijkend, gesloten en is graag alleen.

Emma heeft een klein en stevig postuur, met krullerig strokleurig haar dat tot op haar schouders hangt.

Brid is lang en tenger, en heeft lang, steil, mahoniekleurig haar.

Emma kan urenlang stil op een stoel zitten breien (daar wordt ze lekker rustig van) en is een kei in exacte vakken.

Brid loopt graag hard (daar wordt ze lekker rustig van) en heeft een talenknobbel.

'Samen zijn we alles,' heeft Brid wel eens gezegd.

'Je gaat morgen zeker niet naar school?' vraagt Emma. Er klinkt spijt in haar stem. Zonder Brid vindt Emma school maar saai.

'Ik denk het niet,' antwoordt Brid. 'We gaan morgen weer naar opa's huis om alles voor de begrafenis te regelen. En om hem nog een keer te zien. Ik wil daar graag bij zijn. Opa ligt nu in een kist en niet meer op een wiebelige rouwkamertafel.' Brid denkt aan de vorige dag, toen ze daar per ongeluk tegenaan stootte. De tafel wiebelde. Opa wiebelde mee. Dat was het enige moment geweest dat ze eng had gevonden. Even was ze bang dat opa van de tafel zou vallen, of dat hij ineens geluid zou maken. Maar toen de tafel was uitgewiebeld, lag opa er nog steeds roerloos op.

Letterlijk doodstil.

Brid hoort Emma aan de andere kant van de telefoon gruwen. 'Dat je dat durft, kijken naar een dood iemand...'

'Hmm...' reageert Brid aarzelend, alsof ze het zelf ook niet helemaal snapt. 'Maar weet je, dit is al mijn zevende. Het went.'

'Maar het is je opa!' roept Emma. 'De opa op wie je zo dol was.'

Juist daarom. Hij is niet ziek geweest en hij heeft niet geleden. Ik ben blij voor hem.

Maar de woorden komen niet uit haar mond.

'Dat is waar,' hoort ze zichzelf in plaats daarvan zeggen.

'Ik heb het nog geen een keer meegemaakt dat er iemand doodging,' zegt Emma dan. 'En ik wil het ook nooit meemaken,' voegt ze er hartstochtelijk aan toe.

Brid grinnikt. 'Dan zit er niks anders op dan zelf als eerste dood te gaan.'

'Engerd!' roept Emma.

'Nou, als jij nooit met de dood van iemand anders te maken wilt hebben, dan zal dat wel moeten,' merkt Brid droog op.

Emma zucht. 'Als er bij mij een keer iemand doodgaat, wil jij dan met me mee naar de begrafenis en zo?'

'Dat is goed.'

'En wat ga je nu doen?'

'In mijn schrift schrijven, mijn hoofd zit vol.'

Ze hangen op en beloven elkaar te zullen sms'en.

Brid haalt haar schrift tevoorschijn. Ze heeft net een nieuw exemplaar gekocht, met een glanzende goudoranje kaft. *Over van alles* heeft ze met rode viltstift op de voorkant geschreven.

Het is beslist geen dagboek, vindt Brid. Het is veel eerder een denkboek, een plek waar ze haar gedachten kwijt kan.

Brids mobiel piept.

Emma.

Nu al.

Ik hoop dat er bij mij nog heel lang niemand doodgaat.

Met snelle vingers antwoordt Brid:

Dat hoop ik ook voor je, maar dat heb je niet voor het zeggen…

Met een peinzende blik legt ze haar mobiel weg. Helena dacht dat haar vader honderdtwintig zou worden. En kijk nu eens…

Ik snap niet zo goed wat dat is, dood. Is dat hetzelfde als voordat je bent geboren?
Voordat ik in mama's buik kwam, was ik ergens waar het

heel licht was, en warm. Dat weet ik nog.
Niet iedereen gelooft erin dat je ergens bent voordat je geboren wordt. Papa in ieder geval niet. Mama wel een beetje, geloof ik, en Mia ook, maar die heb ik al heel lang niet gezien. Ze komt morgen. Ik ben benieuwd hoe zij nu is. Ze is wat ouder nu, misschien gelooft ze wel nergens meer in.
Ik hoop dat opa naar de hemel is gegaan. Hij geloofde daar zo heilig in dat ik voor hem hoop dat die ook echt bestaat. Want wat een tegenvaller als je daar altijd zo zeker van was en ineens blijkt dat je je vergist hebt. Zeker als je dood bent en niemand meer hebt...

Brids schrift ligt opengeslagen op haar buik, haar vulpotlood is uit haar hand gegleden.

Haar oogbollen gaan snel heen en weer.

'Dag opa.'

'Dag Brid.'

'Is dit echt of droom ik?'

'Je droomt.'

'Waar bent u nu?'

'Vroeger noemde ik het de hemel, maar hoe het heet, maakt eigenlijk niks uit.'

'Is het dezelfde plek waar je bent voordat je geboren wordt?'

'Dat is moeilijk uit te leggen, misschien wel... Maar weet je nog dat je een paar dagen geleden ook over mij hebt gedroomd?'

'Nee...'

'Dat dacht ik al. Daarom help ik je herinneren. Het is belangrijk...'

Met een schok wordt Brid wakker. Ineens staat de droom van een paar dagen geleden haar weer helder voor de geest. Haar hart slaat over. Hoe kon ze juist dié droom vergeten zijn?

Maar ze heeft elke nacht wel drie dromen – het is bijna niet te doen om ze allemaal te onthouden.

Brid gaat rechtop in bed zitten en haalt diep adem. Alsof ze de beelden die om haar heen zweven in één ademteug naar binnen wil zuigen. Ze pakt haar potlood en opent haar goudoranje schrift.

Opa woont op de bovenste verdieping van een wit flatgebouw. Het gebouw kijkt uit over een groen, heuvelachtig park.
Ik ben bij opa in de slaapkamer. Hij pakt een versleten, bruinleren koffer van de linnenkast en legt hem open op bed. De koffer is leeg.
'Ik ga op reis,' zegt opa, terwijl hij de koffer weer dichtklikt.
Ik kijk hem verbaasd aan. 'Moet u uw koffer dan niet pakken?' 'Waar ik naartoe ga, heb ik niets nodig.'
Opa slaat zijn armen om me heen en geeft me een knuffel.
'Zorg goed voor jezelf,' zegt hij.
Dan zegt hij nog iets, over Mia.
Maar ik kan me niet herinneren wat...

Brids potlood blijft stil op het papier rusten. Opa had dus afscheid van haar genomen, alleen wist ze het niet meer... Met een nadenkende blik doet ze haar schrift weer dicht en krult zichzelf op onder haar dekbed.

Mia... Wat zei hij nou over Mia?

5

'Sorry, ik kan niet stoppen met huilen,' verontschuldigt Helena zich als Brid met de slaap nog in haar ogen de keuken binnenkomt. Helena staat met een keukenrol in haar handen bij het aanrecht en scheurt er een stuk af.

'De Kleenex is op,' zegt Ray, vlak voordat hij een grote mok zwarte koffie aan zijn lippen zet.

Helena lacht door haar tranen heen. 'Gauw aandelen Kleenex kopen,' zegt ze. 'Die zijn nu goud waard.' Ze gaat aan de tafel zitten, doet een beetje honing in haar thee en roert met trage bewegingen. Ze is nog in haar pyjama, waarvan de broek te kort is, zodat haar tere enkels eronderuit piepen. Ze heeft haar ene voet op de andere gezet, alsof die bescherming nodig heeft. Haar korte roestkleurige haar staat in plukken overeind en haar bleke wimpers zijn nog niet door een mascaraborsteltje aangeraakt.

Het ontroert Brid.

Een vogeltje. Mama ziet eruit als een vogeltje...

Brid geeft haar een zachte kus op haar kruin en slaat dan haar armen om haar heen. Helena ruikt naar tranen, hoewel Brid eigenlijk niet zeker weet of je tranen wel kunt ruiken. 'Je hoeft geen sorry te zeggen omdat je moet huilen. Je vader is dood, het is logisch dat je dan verdrietig bent.'

'Ga jij later om mij ook zo janken?' zegt Ray met een plagerige knipoog.

Brid grijnst. 'Mooi niet. Ik kijk wel beter uit!' Ze strijkt even door Helena's haar. 'Zal ik een broodje voor je maken?'

Helena zucht. 'Doe maar, een halve. Met appelstroop. Meer krijg ik er denk ik niet in.'

Brid loopt naar het aanrecht.

Ineens floept opa's stem haar hoofd weer binnen: *'Je bent een grote meid dat je zo goed voor je moeder zorgt.'*

Brid kan een grijns niet onderdrukken. Opa was een beetje ouderwets. Brid is al veertien, maar opa noemde haar nog steeds 'een grote meid'. Zo noemt hij haar al vanaf dat ze geboren is, dat weet ze nog. Toen hij haar de eerste keer in zijn armen hield, noemde hij haar al zo. En dat terwijl ze met haar zes pond niet echt een stevige baby te noemen was.

'Ja, ik ben een grote meid,' reageert Brid in gedachten op opa's opmerking. Ze glimlacht. Als opa honderdtwintig was geworden en Brid dus vijftig zou zijn geweest, zou ze waarschijnlijk nog steeds opa's 'grote meid' zijn geweest.

Terwijl ze een ontbijtbordje en brood tevoorschijn haalt, vraagt ze zich af hoe hij Mia noemde. Niet 'opa's grote meid'. Tenminste, niet dat Brid zich kan herinneren. De droom over opa schiet weer door haar hoofd. Er gaat een schok door haar lichaam. Ineens weet ze weer wat hij in die droom over Mia zei.

'Mia kan je helpen. Praat met Mia...' zei hij.

Met langzame bewegingen smeert Brid haar moeders broodje. De afgelopen jaren heeft Brid heel weinig contact gehad met haar 'grote' nicht. Heel anders dan vroeger, toen ze wekelijks uren met elkaar doorbrachten. Zouden we elkaar nog leuk vinden? vraagt Brid zich af.

Ze zet het bordje voor Helena's neus op de keukentafel. Helena kijkt met een holle blik voor zich uit en lijkt het niet eens te merken.

Brid gaat stil op een stoel naast Helena zitten en schenkt peinzend een kop thee in.

Waarom moet ik met Mia praten? Hoe kan een nicht die zoveel ouder is en die niet eens meer in Nederland woont, mij nou helpen?

Later die ochtend, in het huis van opa, barst Helena opnieuw in huilen uit. Als Frans arriveert en hij Helena snikkend op de bruinleren driezitsbank aantreft, zegt hij: 'Huil je nog steeds, of huil je alweer?'

'Ik kan er geen genoeg van krijgen,' antwoordt Helena met een bijna verontschuldigend lachje op haar gezicht.

Frans geeft haar een aai over haar hoofd. 'Wel blijven drinken, hoor,' zegt hij. 'Anders droog je uit.'

Brid slaat een arm om haar moeder heen en drukt haar eventjes stevig tegen zich aan.

Helena snuit haar neus. 'Weet je?' zegt ze, na een lange, uitgerekte zucht. 'Ik kan het gewoon niet geloven dat papa dood is. Ik verwacht dat hij elk moment van de trap af kan komen.' Ze kijkt door de deuropening naar de eikenhouten trap in de gang, die naar de bovenverdieping leidt.

'Nou...' zegt Frans, terwijl hij een zijdelingse blik op de trap werpt. 'Ik heb hem gisteren nog eens goed bekeken, maar die loopt daar echt niet meer van af, hoor.'

Opnieuw krijgt Helena tranen in haar ogen, maar nu van

het lachen. Ook Ray en Brid kunnen een hartelijke schaterlach niet onderdrukken.

Frans geeft Brid een triomfantelijke knipoog, alsof hij wil zeggen: 'Weer een afleidingsmanoeuvre gelukt.'

Ze zijn alleen in opa's huis.

Mama's vroegere huis. En dat van Frans.

Oma Mies is even boodschappen doen en haar kinderen en kleinkinderen zijn er vandaag niet. Die moesten gewoon naar hun werk of naar school. Ze zijn weer van de partij bij de officiële gebeurtenissen, over een paar dagen: de avondwake en de begrafenis.

Van Frans en Helena had er niet ook nog een wake hoeven zijn. 'Alsof je twee keer iemand moet begraven,' zei Frans. 'En twee keer speeches en gedichtjes,' zei Helena. 'En trage, eindeloos durende kerkliedjes,' voegde Ray eraan toe.

Als er íémand niet in God gelooft, dan is Ray het wel. Als het atheïsme niet al was uitgevonden, dan had hij er patent op aangevraagd.

Maar uiteraard legden ze opa's wensen niet naast zich neer. Die van Mies ook niet. Volgens hen moest je nu eenmaal begraven worden vanuit de kerk; anders had je je leven niet fatsoenlijk afgesloten. En als je niet gedoopt wordt, ook niet, denkt Brid. Gisteren had Helena haar dat verhaal voor het eerst verteld: dat zij en Frans nog een broertje hadden gehad. Maar dat hij vlak na zijn geboorte geen zuchtje had gegeven en meteen dood was geweest. En dus ook niet was gedoopt.

Kortgeleden had Helena nog aan haar vader gevraagd wat er eigenlijk met dat baby'tje was gebeurd. 'Dat weet ik niet,' had hij geantwoord. En na een korte stilte die eeuwen leek te duren, had hij daaraan toegevoegd: 'Dat zal wel zoveel pijn hebben gedaan dat ik het verdrongen heb...'

Waarschijnlijk had de priester het kindje gewoon opgehaald, had opa later verteld, en een anonieme kuil voor hem gegraven. Zonder gedenksteen met een datum, een naam en een paar lieve woordjes erop. Zo ging dat vroeger.

Brid staart in gedachten voor zich uit.

Wat vreselijk voor oma. Een baby krijgen die dood is, is al erg. Maar die dan ook meteen moeten afstaan, om afgevoerd te worden naar een anonieme plek... Ik ben ook niet gedoopt. Maar als ik dood was gegaan, zou ik gewoon begraven zijn. Niet in een anoniem gat in de grond, maar in een speciaal voor mij gemaakt graf. Weggebracht door mijn eigen ouders, in plaats van door een onbekende man die vindt dat je niet hebt bestaan als je niet bent gedoopt. Een graf met een gedenksteen, maar dan van hout – net als die van Stip. Zelf gemaakt, door papa en mama. BRIDNEY HELENA KOPERDRAAD, *zou er in gekerfde letters op hebben gestaan (want viltstift wordt onleesbaar). En misschien ook wel:* GEEN DOORSNEEMEISJE...

Het geluid van de bel maakt Brid wakker uit haar overpeinzingen.

Frans springt op.

'Daar zullen we Mia hebben!' roept hij opgetogen. Omdat ze in Londen studeert, heeft hij zijn dochter al een tijd niet gezien.

Brid is nieuwsgierig, maar tegelijkertijd ook een beetje zenuwachtig. Hoe zal het zijn om elkaar weer te zien?

Als Mia de kamer binnenkomt, valt Brids mond open. Dit is niet het nichtje met wie Brid vroeger vaak speelde, tot Mia een jaar of veertien was en ze elkaar min of meer uit het oog verloren. In het begin was Brid daar boos en verdrietig over geweest, maar later begreep ze het wel. Want wat moet je als puber, als je ook nog eens midden in de scheiding van je ouders zit, met een nichtje van negen?

Maar Mia lijkt in niets nog op die pubermeid van veertien die korte rokjes en laag uitgesneden truitjes begon te dragen. Vijf jaar later lijkt ze wel te zijn getransformeerd tot toverkol!

Ze draagt een zwarte jurk tot op de grond, waar zwarte laarzen met een puntige neus onderuit piepen. Om haar ogen heeft ze een dikke zwarte lijn getekend, haar lippen zijn donkerbruin gestift en op haar nagels zit auberginekleurige nagellak. Haar zwartgeverfde haar zit in een staart. Bij elke beweging die ze maakt, rinkelt er een imposante hoeveelheid zilveren armbanden wild om haar polsen, en om haar nek draagt ze een grote zilveren hanger in de vorm van een vijfpuntige ster. Een pentagram heet dat, weet Brid. Symbool van de heksen...

'Zo, liefie,' zegt Frans, alsof hij Mia nog ziet als een snoezig meisje in een kanten jurkje. Hij slaat een arm om haar heen. 'Hoe is het in Londen?'

'Spiffing,' antwoordt Mia met een grappig Engels accent. Ze grijnst en geeft Frans een smakzoen. Op zijn wang blijft een donkerbruine kring achter. Mia lacht. 'Niet *kissproof,*' zegt ze.

Dan loopt ze op Ray en Helena af en geeft hun op overdreven wijze een luchtkus. 'Ik wil jullie niet ook besmetten met mijn lippenstift,' zegt ze giechelend.

Ray en Helena beantwoorden haar luchtkus met een knuffel.

Even ziet Brid een roze gloed tussen hen oplichten. Papa en mama vinden Mia dus niet stom of raar, denkt ze. Als ze dat wel zouden vinden, zou Brid een andere kleur hebben gezien. Bruin, bijvoorbeeld. Of een nare kleur rood. Of gifgroen.

Roze... Ze vinden haar lief.

Een gloed tussen mensen heeft Brid al heel lang niet gezien. Ze wílde die niet meer zien. Jarenlang had ze in een klaslokaal alleen maar kleuren om en tussen mensen gezien. Stapelgek werd ze ervan. Maar sinds opa's dood lijkt het alsof ze het niet meer kan tegenhouden, alsof het allemaal weer van voren af aan begint.

Niks aan te doen, hoort ze zichzelf in gedachten zeggen. Onwillekeurig moet ze lachen. Vroeger zei ze dat altijd, toen ze nog heel klein was: met haar hoofd een beetje schuin, haar armen eigenwijs uitgespreid en haar schouders in haar nek getrokken.

'Inderdaad, lieve Brid, niks aan te doen.' Opnieuw klinkt opa's stem alsof hij springlevend in de kamer staat. Maar ook nu weet Brid zeker dat, behalve zij, niemand hem heeft gehoord.

Dan komt Mia met uitgestoken armen op haar af lopen. 'Hé, nichtje!' roept ze enthousiast. Haar stem gaat bijna een octaaf omhoog. 'Wat geweldig om jou weer te zien. Wat ben jij een stuk geworden!'

Brid bloost. Ze staat op om Mia een kus te geven, maar voordat ze daar de kans toe krijgt, slaat Mia haar armen al om Brid heen en omhelst haar stevig. 'Mmm,' zegt ze zachtjes. 'Ik heb je zo gemist...'

Na een korte aarzeling beantwoordt Brid haar omhelzing

en snuift de vertrouwde geur van haar nicht bijna gulzig op. Mia's parfum weet haar natuurlijke geur niet te maskeren. Onder het parfum ruikt Mia nog precies hetzelfde als vroeger toen ze nog een meisje was.

Brid sluit haar ogen. Ineens voelt het alsof ze elkaar gisteren nog hebben gezien, en alsof ze gisteren nog in een schemerige, alleen door kaarsen verlichte kamer hun geheimpjes met elkaar deelden.

Dan houdt Mia Brid op een afstandje en neemt haar zorgvuldig op.

'Hoe is het met je? Wat is je haar prachtig geworden. Ik ben jaloers...'

Brid voelt zich ongemakkelijk, want ze weet op haar beurt niet zo gauw een compliment voor Mia te bedenken. *En jij ziet eruit als een heks...* Dat kun je toch niet zeggen?

'Hoe vind je mijn outfit?' vraagt Mia, alsof ze Brids gedachten raadt. Ze spreidt haar armen en draait om haar as.

'Eh, wel even wennen...' zegt Brid aarzelend. Iets beters weet ze niet te verzinnen.

Maar Mia schatert het uit. 'Wat heerlijk dat je nog steeds zo eerlijk bent!'

Op dat moment komt oma Mies binnen. 'Mia, kind!' roept ze. 'Wat leuk om je te zien. Ik herkende je bijna niet. Wat een aparte kleren.' Ze pakt Mia vast en geeft haar twee hartelijke kussen op haar wangen.

Voor de zoveelste keer verbaast Brid zich over haar stiefoma. Andere oude mensen zouden Mia's uiterlijk vreselijk vinden, maar oma Mies vindt het gewoon leuk.

'Kijkt iedereen je niet na op straat?' vraagt Brid voorzichtig.

Mia kijkt haar geamuseerd aan. 'Ja, maar dat vind ik niet erg. Je weet toch hoe ik vroeger was? Veel te braaf. Daar moest nodig verandering in komen.'

'Een *extreme make-over*,' zegt Frans grinnikend, 'maar dan zonder operaties. En het voordeel is dat je nu geen nieuwe kleren hoeft te kopen voor de begrafenis.'

'We hoeven toch niet in het zwart?' roept Brid geschrokken uit. Zij heeft geen zwarte kleren, zelfs geen zwarte sokken. Ze houdt niet van zwart. Behalve als het iets om te eten is, zoals olijven. Dan vindt ze zwart heerlijk.

'Welnee,' stelt Frans haar meteen gerust. 'Mia is zwart genoeg voor ons allemaal.'

Hij kijkt naar zijn eigen spijkerbroek. 'Misschien dat ik een schone aantrek, maar ik denk niet dat mijn vader het erg vindt als ik als mezelf op zijn begrafenis verschijn. Hij had tenslotte een hekel aan mensen die deden alsof.'

Brid kijkt Mia verwachtingsvol aan. Even aarzelt ze. Dan durft ze het toch te vragen. 'Ga je mee naar de zolder?'

Mia's ogen glanzen. Kennelijk weet ze meteen wat Brid bedoelt.

Achter elkaar aan (Mia trekt haar lange rok zorgvuldig op) rennen ze naar de gang, de trap op, de overloop over, naar nog een trap.

Op de bovenste verdieping duwt Brid een krakende donkerbruine deur open. Langzaam, plechtig bijna. Alsof ze een geheime ruimte binnentreden, waarvan alleen zij het bestaan kennen.

Daar staat hij, tegen een verschoten schrootjeswand in de schemerige zolderkamer.

Opa's hutkoffer.

6

Al vanaf dat ze kan traplopen, klautert Brid naar opa's zolder. Het oude huis is in de loop der jaren flink gemoderniseerd, maar de zolder is gebleven zoals hij altijd was: een echte griezelzolder. Niet met spinrag, daar was opa de Lange te netjes voor, maar wel met verlaten spullen. Spullen van vroeger waar niemand meer iets aan heeft, maar die ook niemand weg wil doen. Herinneringen die bewaard moesten blijven, ook al zijn het pijnlijke.

Beter pijnlijke herinneringen dan geen herinneringen, heeft Brid iemand wel eens horen zeggen. Ze weet niet of dat waar is.

Ook de hutkoffer behoort tot die herinneringen, zowel tot de goede als tot de pijnlijke. Het is een grote houten kist met een gebogen deksel en koperen beslag, dat in de loop der jaren zijn glans heeft verloren. Er zit een enorm slot op dat nooit wordt gebruikt, omdat de sleutel zoek is. Het is zo'n koffer waarvan je als klein kind droomt dat hij vol zit met glinsterende schatten of met een berg glimmende oude munten.

Zodra Brid er de kracht voor had – ze zal een jaar of vier zijn geweest – kantelde ze het deksel eraf. Maar ze vond geen glinsterende schatten of glimmende oude munten. In plaats daarvan rook ze alleen de sterke geur van oud papier.

Die geur is voor Brid altijd met opa's hutkoffer verbonden gebleven.

Inmiddels kent ze de inhoud ervan uit haar hoofd: twee postzegelalbums, zes fotoalbums met vergeelde zwart-wit-foto's erin, twee grote boeken met ingeplakte plaatjes van wilde dieren, en drie kleinere over vlinders, vogels en roofdieren. Een oud kookboek met recepten van gerechten als stoofpeertjes, rode kool met appeltjes, hutspot en custardpudding. Een heel oud muziekboek van haar overgrootvader, dat bijna uit elkaar valt van ouderdom en waarvan de verkleurde groene kaft nog slechts bij elkaar wordt gehouden door een rood lint dat vroeger moet hebben geglommen. Verder een bundel brieven die ze, zodra ze daartoe in staat was, talloze keren van voor naar achter las (hoewel ze niet wist of dat wel mocht), een stapeltje ansichtkaarten van het Gardameer en schriftjes van opa's lagere school, gevuld met een regelmatig, ouderwets handschrift. Tekenschriften, schoolrapporten met veel zevens en achten, een zwemdiploma en een zalmroze versleten wollen deken.

Allemaal dingen uit een tijd dat Brid nog lang niet was geboren, maar waarvan ze toch het gevoel heeft dat ze er deel van uitmaakt.

Mia en Brid zitten op hun knieën voor de koffer die opa's hele leven is meegegaan, en daarvoor zíjn vaders hele leven. Langzaam duwen ze het deksel open. Er staat een versleten jaartal op de binnenkant: 1863.

'Wat ruikt het hier raar,' merkt Mia op, terwijl ze haar neus in een rimpel trekt.

Het valt Brid ook op. Het ruikt ineens muffer dan anders,

alsof de zolder in de paar weken dat ze er niet is geweest, honderd jaar ouder is geworden en niemand hem in die tijd meer met een bezoekje heeft vereerd.

De kleinkinderen van oma Mies, twee jongens en een meisje, zijn er ook wel eens geweest. Dat vond Brid maar niks. Het is hún zolder. En niet die van tweedehandskleinkinderen die toevallig aan kwamen waaien, omdat opa zo nodig een nieuwe vrouw moest hebben.

Hoewel het goed was dat hij die nieuwe vrouw had gevonden, denkt Brid daar meteen achteraan. Alleen-zijn was niks voor opa...

In de koffer lijkt niets te zijn veranderd, alles ligt nog precies op de plek waar ze het de vorige keer hebben achtergelaten.

'Ik heb er wel eens een brief uit gejat,' bekent Brid.

'Ik ook,' zegt Mia.

Met twinkelende ogen kijken ze elkaar aan.

'Welke jij?' vraagt Mia.

'Eentje die was gestuurd vanaf kostschool.'

'Ik ook.'

Mia neemt de zalmroze deken in haar handen. Ze trekt een vies gezicht.

'Gatver, dus deze rook ik.'

Brid buigt zich naar de deken toe, maar trekt haar hoofd vrijwel onmiddellijk terug. 'Ieuw! Zo rook-ie anders nooit!'

'Nu dus wel,' zegt Mia. 'Dat is ook eigenlijk wel logisch.' Ze krijgt een raadselachtige blik in haar ogen. De blik die ze vroeger altijd trok als ze een spannend verhaal, of een geheim, ging vertellen.

Brid kijkt haar nieuwsgierig aan. 'Hoezo?'

Mia haalt haar schouders op. 'Niet alleen mensen hebben een geschiedenis met elkaar, óok dingen kunnen die hebben. Een geschiedenis tussen dingen en mensen, bedoel ik.' Ze pakt de deken op en duwt haar vinger moeiteloos door een versleten plek. 'Zie je, nu opa dood is, mag de deken ook gaan.'

'Doe niet zo stom!' roept Brid lacherig uit. 'Die deken heeft nooit gelééfd. Een deken is altijd al dood.'

Weer haalt Mia haar schouders op. 'Maar toch...' zegt ze.

Met een vragende blik pakt Brid de deken van Mia over en legt hem uitgespreid op de grond.

Dan zien ze het pas. Voor het eerst.

Het is geen deken voor een volwassene.

Het is een kinderdekentje.

7

'Wat zit er dan in, in die koffer?' vraagt Emma als ze Brid de volgende dag komt opzoeken.

'Dingen van vroeger,' antwoordt Brid. 'Niks van waarde eigenlijk, tenminste, niet voor andere mensen.' Ze denkt aan de kinderdeken en hoe die bijna uit elkaar viel tussen haar handen. Zij en Mia hadden hem in een hoek gelegd en besloten later wel eens te vragen waarom een dekentje dat bijna uit elkaar viel van ouderdom, toch was bewaard.

Later, niet nu. Nu hadden Helena en Frans andere dingen aan hun hoofd: adressen sorteren, rouwkaarten schrijven, bloemen uitzoeken, met de pastoor praten, oma Mies troosten.

En elkaar.

Brid haalt een brief uit haar tas en vouwt hem voor Emma open. 'Moet je lezen.'

8 februari 1968

Beste zoon Frans,

Een bericht vanuit je ouderlijk huis.
Wij hopen dat het jou en je gezin goed gaat en dat ieder-

een in goede gezondheid verkeert. Met ons gaat alles best. Bij dezen willen we je evenwel laten weten dat buurvrouw Lies is overleden. Ze heeft de mooie leeftijd van vijfentachtig jaar bereikt. Ze is vredig ingeslapen. Haar dochter komt nu naast ons wonen. Fijn, want nieuwe buren krijgen is altijd wennen, en haar kennen we al vanaf toen ze een baby was.
Jongen, het allerbeste, en groet je vrouw en kinderen van ons, ook al is de éénjarige Helena vast nog te klein om te weten wie haar opa en oma zijn...

Je liefhebbende ouders

Met een ongelovige blik laat Emma de brief zakken. 'Is dat een brief van je overgrootouders aan je opa? En jouw opa heette dus ook Frans, begrijp ik, net als je oom?'

Brid knikt.

'Jé,' zegt Emma. 'Ik kan me niet voorstellen dat ouders hun eigen kind zo'n afstandelijke brief kunnen schrijven.'

Brid huivert. 'Nee, ik ook niet.'

Emma kijkt Brid onderzoekend aan. 'Wanneer kom je eigenlijk weer naar school? Menno vroeg naar je.'

Brid bloost.

Emma schopt plagerig tegen haar been. 'Zie je wel? Je bent verliefd.'

Onverschillig haalt Brid haar schouders op. 'Maar hij niet op mij. Dus wat maakt het uit...' De laatste woorden zijn niet veel meer dan een fluistering.

Emma zwijgt. Ongemakkelijk plukt ze een pluisje van haar trui.

Zie je wel, denkt Brid, Emma heeft ook wel door dat Menno op Kim is...

Ik heb ze heus wel gezien, op het schoolplein: hij verlegen, zij met zo'n irritant verleidelijk glimlachje om haar mond...

'De begrafenis is op vrijdag, toch?' vraagt Emma snel.

Brid geeft geen antwoord, ze knikt alleen.

'Dus morgen en donderdag kom je hopelijk wel naar school?'

Brid knikt opnieuw.

'Hé, ben je je tong verloren?'

Voor de derde keer maakt Brid een knikbeweging. Dan begint ze te giechelen. 'Drie keer is scheepsrecht,' zegt ze.

Even later springt ze op. 'Ik móét even hardlopen.'

'Message understood,' grinnikt Emma.

Als Brid zegt dat ze even móét hardlopen, dan moet ze haar gedachten ordenen. Daar valt niets tegen in te brengen, ook al zou Emma haar nu voorstellen naar de film te gaan, waar Brid dol op is. Maar als Brids hoofd te vol zit, moet ze hardlopen. Daarmee uit.

Emma staat op en geeft Brid een smakzoen op haar wang. 'Loop ze.'

Brid geeft haar een smakzoen terug. 'Brei ze,' zegt ze terug.

Emma is met een trui bezig, een met verschillende kleuren groen, met een heel moeilijk patroon in een meandervorm. Ze is er bijna mee klaar, alleen de rechtermouw nog.

Brid vindt het knap. Zij zou er het geduld niet voor hebben. Maar Emma vindt het juist knap dat Brid hardloopt. 'Bij boom tien zou ik het wel gezien hebben,' heeft ze wel eens gezegd.

Voor Brid kunnen er niet genoeg bomen zijn. Hoe meer, hoe beter.

Het park is getooid met oranjegele herfstkleuren. De zon doet ijverig haar best achter de wolken vandaan te kruipen. Af en toe lukt het en weet ze de bomen in een sprookjesachtige gouden gloed te zetten.

Zoals altijd aan het begin van een hardlooprondje telt Brid haar passen. Zo komt ze in een lekker ritme. Na een poosje, als ze haar cadans gevonden heeft, dwalen haar gedachten af.

Niemand kan aan mij zien dat mijn opa dood is. Net zoals ook ik aan niemand kan zien of hij of zij deze week iemand moet begraven. Een buurvrouw, een vader of moeder, of nog veel erger: een kind...

Brid loopt langs een bankje waar twee zwervers hun dagelijkse portie bier zitten weg te werken.

'Het is verslavend, weet je,' vangt Brid op.

'Vertel mij wat, man,' reageert de andere man met luide stem. 'Het is net als met drank, weet je, je kunt geen dag zonder... Ach ja, de vrouwtjes...'

Brid trekt haar neus op. Ze vraagt zich af welke vrouw met deze mannen naar bed zou willen.

Nagels met zwarte rouwranden en ongewassen kleren. Bruine tanden, stinkend haar. Gatver, hoe kun je daarmee vrijen?

Onwillekeurig komt Menno haar gedachten binnensluipen. Hij kijkt haar met zijn diepblauwe blik strak aan. Brid sluit haar ogen en schudt haar hoofd een paar keer heen en weer.

Niet aan denken nu.

Ze ademt diep in en uit.

In, uit.

In, uit.

Niet aan denken... Niet aan denken... Menno is niet op mij. Toch?

Brid probeert zich te concentreren op het geluid van haar eigen voeten op het fietspad, dat niet alleen door fietsers, maar ook door wandelaars en skaters wordt gebruikt. Behendig laveert ze tussen een vrouw met een kinderwagen en een skater door. Dan concentreert ze zich weer op haar ademhaling.

De eerste vijf minuten loopt ze zich altijd rustig warm. Even erin komen, niet meteen te hard van stapel lopen. Voor haar voeten schopt ze een blikje weg, alsof ze in haar eentje een partijtje voetbal speelt. Dan bedenkt ze zich, draait zich om en raapt het blikje op om het in één worp in de dichtstbijzijnde prullenbak te mikken.

Eén-nul.

Mama is nu wees, op haar éénenveertigste. Ha ha, grappig, ik heb op dit moment de omgekeerde leeftijd van mama! Ik wil nog geen wees worden, veertien is daarvoor veel te vroeg, ik hoop dat papa en mama nog lang niet doodgaan...

Menno heeft naar me gevraagd, op school.

Gevraagd, naar mij.

Wat bedoelt hij daarmee?

Hij is verliefd op Kim, toch?

Ik heb haar naar hem zien kijken. Zij heeft een crush op hem, dat kan een blinde zien.

Maar is het ook andersom? Ik heb nog geen roze gloed om hem heen gezien als hij naar haar kijkt, maar misschien is dat omdat ik die niet wíl zien...

De wind blaast een tweede blikje voor haar voeten.

Bukken, oprapen, mikken.

Twee-nul.

Eigenlijk had ik gisteren best naar school kunnen gaan, maar ik kon het niet. Er gebeurt zoveel... Al die dingen die geregeld moeten worden... Niet alleen over de begrafenis, maar ook over opa's huis. Oma Mies gaat terug naar haar eigen flat, opa's huis wordt verkocht.

Dag zolder...

Ik wil niks hebben uit het huis, behalve de hutkoffer.

Leeg.

Er glipt een pluk haar uit Brids haarband. Met een snelle beweging stopt ze hem weer terug.

Ze ademt in door haar neus, uit door haar mond.

In, uit.

In, uit.

Ze heeft inmiddels een loopritme gevonden dat ze fijn vindt.

Opnieuw sluit ze een kort moment haar ogen en snuift haar longen vol met nieuwe lucht.

Wat leuk om Mia weer te zien. Het voelde bijna net als vroeger. Bijna. Want ik ben nu die puber van veertien en zij is al volwassen. Ik ben er al aan gewend hoe ze eruitziet. Gelukkig is ze geen goth. Die twee goth-meisjes op school zijn ook een beetje raar. Hoewel ze ook wel weer meevallen als je ze eenmaal kent. Jamie uit mijn klas is eigenlijk een heel lief meisje. Ze is goth geworden toen ze uit huis werd geplaatst omdat haar moeder doodging en haar vader niet voor haar kon zorgen omdat hij een junkie is. Goth worden was waarschijnlijk haar manier om daarmee om te gaan. Je moet toch wát hebben om je aan vast te klampen. Ook al is het aan zwarte kleren en een masker van make-up om je achter te verschuilen...

Mia verschuilt zich niet. Maar zij heeft dan ook geen overleden moeder of een vader die junkie is. Mia's ouders zijn alleen maar gescheiden...

Twee andere hardlopers kruisen haar pad. Ze knikken Brid lachend toe.

Brid ziet ze wel vaker. Het is een stel, een jongen en een meisje. Er loopt een Ierse Setter met ze mee, een jonkie nog.

Het meisje heeft een knalrode trainingsbroek aan, waarin haar mooie lange benen en stevige, gespierde kont goed uitkomen. De jongen draagt een zwarte outfit. Zelfs zijn pet, die hij achterstevoren op zijn hoofd heeft gezet, is zwart.

Brid kijkt nog even naar ze om.

Ik kan me niet voorstellen dat ik ooit zwarte kleren zou willen dragen. Ik hou niet van zwart. Zwart is de afwezigheid van kleur. Ik hou juist van kleur.

Behalve met olijven.

Of met drop.

Dan wint zwart het.

Blikje nummer drie.

Bukken, oprapen, mikken.

Mis.

Twee-één.

Twee loslopende honden, een grijze en een zwart-wit gevlekte, rennen vrolijk kwispelstaartend een stukje met Brid mee. Tot hun baasje ze tot de orde roept. De honden kijken achterom, aarzelen even, kijken weer naar Brid, maar besluiten dan toch hun baas te gehoorzamen.

Weg zijn ze.

Jammer, denkt Brid. Ze vond het juist gezellig.

Ze mist Stip. Wat zou ze graag een nieuwe hond willen. Maar haar ouders vinden dat te lastig. Zij willen vrij zijn. Vooral Ray.

Opa wilde emigreren, maar vond dat te zielig voor zijn ouders. Terwijl ze hém op zijn achtste met een halflege hutkoffer naar een verre, vreemde plek hebben gestuurd.

Papa wilde reizen, avonturen beleven, de wereldzeeën bevaren. Toen kwam hij een vrouw tegen met een hond. En kregen ze mij.

Daarna wilde hij niet meer weg, hij wilde bij ons blijven...

Gister was Ray laat thuisgekomen, veel later dan hij had beloofd.

'Waar ben je geweest?' had Helena hem gevraagd. Haar gezicht stond op onweer.

'Iets afmaken,' had Ray ontwijkend geantwoord.

Iets afmaken – dat kon van alles betekenen.

En ook van alles niet.

Niet alles kan afgemaakt worden. Een leven bijvoorbeeld. Wanneer is een leven af, wanneer heb je alles gedaan waarvoor je hier bent? Opa wilde nog zoveel. En tegelijkertijd zei hij dat hij zijn tachtigste verjaardag niet ging vieren. Alsof hij wist dat hij dan niet meer zou leven...

Brid is het park rond en bijna weer thuis. Haar benen voelen heerlijk moe en haar longen zitten vol nieuwe zuurstof. Oude lucht is eruit geperst, oude gedachten zijn weggewaaid en op de rug van de dwarrelende herfstbladeren meegevoerd naar een plek ver weg van haar hoofd.

Haar gedachten staan weer een beetje op een rijtje. Hoewel zich altijd weer nieuwe gedachten aandienen. Zoals nu.

Want hoe af was opa's leven?

8

2 augustus 1973

Beste vader en moeder,

We hebben geweldig weer en het water is heerlijk. De boot doet het fantastisch. Ik kan nog steeds op één been waterskiën. Iedereen verkeert in goede gezondheid, hoewel Helena nogal is verbrand door het zonnebaden en haar grote broer Frans zich heeft bezeerd toen hij verkeerd van de steiger dook . Nou ja, daar worden ze sterk van zullen we maar zeggen.

Hartelijke groeten van uw zoon Frans, en van Mia en de kinderen

Brid tuurt nog even naar de groet onderaan op de ansichtkaart. Soms raakt ze ervan in de war dat oom Frans is vernoemd naar opa en haar nicht Mia naar oma. Gelukkig is zijzelf naar niemand vernoemd, en hebben haar ouders een naam voor haar gekozen die nog nooit in de familie was voorgekomen. En dan ook nog zogenaamd fout gespeld, je schrijft haar naam immers met een d in plaats van met twee t's. Dat vindt Brid superleuk, hoewel het soms wel vermoeiend is dat iedereen haar naam altijd verkeerd spelt...

Ze draait de ansichtkaart om. Op de voorkant staat het Gardameer, met daarvoor een fotootje van een camping.

'Gingen jullie daar altijd naartoe?' vraagt Brid.

Haar moeder knikt. 'Jaar in, jaar uit. En altijd verbranden. Als ik geen huidkanker krijg, dan weet ik het niet meer.'

'Mam!'

'Grapje,' zegt Helena snel. 'Maar misschien niet zo'n geslaagd grapje...'

Brid zucht. Soms word ze moe van de zwarte humor van haar ouders.

Helena en Frans hebben dat van opa geërfd. Hij kon overal de humor van inzien (en als dat niet lukte, probeerde hij het toch). Ook vertelde hij altijd moppen – op feestjes was hij de gangmaker.

'Zelfs toen oma zoveel jaren geleden overleed, kon hij dat niet laten,' vertelde Helena nog. 'Oma's dood was ongeveer het ergste wat hem kon overkomen, maar op de avond voor haar begrafenis vertelde hij alweer zijn eerste mop. Alsof hij zich op dat moment voornam zijn best te doen om gewoon verder te leven.'

Brid denkt aan oma Mies, hoe verdrietig zij is. Maar opa's nuchterheid is tot over zijn dood heen besmettelijk. Gisteren regende het. Toen ze aanbelden en oma Mies opendeed, zei ze: 'Zo jongens, een mooie dag om een erfenis te verdelen.'

Even later stond ze weer sniffend in de keuken.

Met een peinzende blik draait Brid de ansichtkaart om en om in haar handen.

'Waren het leuke vakanties?' wil ze weten.

Helena trekt een rimpel in haar voorhoofd. 'Ja en nee,' antwoordt ze. 'Ja, omdat we lekker de hele dag in de zon en in het water konden zijn. Nee, omdat ik binnen een paar weken heimwee had, en ook nee omdat we elke zondag naar de kerk moesten. Omdat we daar altijd vijf weken waren, betekende dit dus vijf keer naar een oeverloos lange Italiaanse mis waar je geen zak van begreep, terwijl je ook lekker op een luchtbed in het water had kunnen liggen.' Helena's stem klinkt fel.

'Nou, een uurtje per week, dat is toch niet zo erg?' reageert Brid luchtig.

'Je hebt geen idee hoe zoiets is. Ik voelde me net een marionet. Alles moest keurig zoals het zogenaamd hoorde. Als mijn moeder naar de kerk ging en de zoom van haar jurk piepte onder haar jas vandaan, dan trok ze óf een andere jurk óf een andere jas aan. Alsof God dat wat uitmaakt.' Helena trekt een verontschuldigend gezicht. 'Ik hield veel van mijn ouders, hoor,' voegt ze er snel aan toe. 'Maar wat was ik blij toen ik op mezelf kon gaan wonen.'

'Hoe oud was je toen?' vraagt Brid.

'Twintig.'

'Dus ik heb nog een jaar of zes te gaan.'

'Hooguit,' zegt Helena met een grijns. Ze kijkt Brid onderzoekend aan. 'Voel jij je bij ons ook wel eens een marionet?'

'Als ik een muts op moet als ik naar buiten ga, bijvoorbeeld? Of als ik mijn sinaasappeltje helemaal op moet eten?' Brid geeft Helena een kus. 'Volgens mij voelt elk kind zich wel eens zo.'

Brid ziet dat Helena een poging doet om te lachen, maar verder dan een licht omkrullen van haar mondhoeken komt ze niet. Zij moet ook vast denken aan vorige week, toen ze knallende ruzie hadden over een feest waar Brid niet naartoe mocht omdat het in een 'ongure buurt' van Amsterdam werd gehouden en het tot te laat duurde. Soms wordt ze gek van haar ouders en heeft ze het gevoel dat ze nooit iets zelf mag beslissen. Ze is toch geen baby meer! Zelfs toen ze een baby was, was ze dat eigenlijk niet...

Helena strijkt even door Brids haar. 'Jij en Mia worden een stuk vrijer opgevoed dan Frans en ik vroeger,' zegt ze.

Brid knikt. Helena had wel eens verteld dat ze zo streng was opgevoed, dat ze vroeger zelfs een keer bang was dat er een microfoontje in haar fietsbel verstopt zat, en haar moeder kon meeluisteren met de gesprekken die zij met haar vriendinnen voerde. Helena had zich bijna met geweld van haar ouderlijk huis en van alles wat zij als verstikkend ervoer, moeten losbreken.

Brids gedachten gaan naar een artikel dat ze heeft gelezen over de strijd die een vlinder moet leveren om zich te bevrijden uit zijn cocon. In het artikel stond dat het op een dag tijd is voor de vlinder om iets nieuws te worden, en dat hij zich, om daarin te kunnen slagen, door de cocon heen moet breken. 'Maar een cocon is geen kamer met een deur,' stond in de tekst. 'Het is iets dat de vlinder zelf heeft gemaakt, uit één enkele draad. Als rups wikkelde hij zichzelf helemaal in, net zo lang totdat de draad hem volledig had ingekapseld. En nu is hij een vlinder en wil hij vrij zijn... maar zit hij in de val.'

Verderop in het artikel stond dat er tijdens de strijd om

zich los te wurmen uit de cocon een stofje in de maag van de vlinder vrijkomt dat hem levenskracht geeft. Zonder dat stofje zou hij niet overleven; zonder die strijd dus ook niet...

Jezelf ergens uit bevrijden geeft dus kracht, denkt Brid. Zou dat ook opgaan voor de dood, als je jezelf uit je lichaam moet bevrijden om naar een andere wereld te gaan?

Ze kijkt haar moeder peinzend aan. 'Geloof jij in de hemel?'

Helena twijfelt. 'Ik wou dat ik erin kon geloven,' zegt ze uiteindelijk. 'Opa en oma geloofden er heilig in. Als er een hemel is, hoop ik dat ze daar nu samen zijn.'

'Als oma niet intussen een andere man heeft gescoord,' zegt Brid. 'Een engel, met enorme vleugels die hij om haar heen slaat om haar te beschermen.'

Helena schiet in de lach. 'Ik denk niet dat opa dat zou pikken. Die zou stennis schoppen.'

'Oma moet zelf kiezen,' zegt Brid.

'Dan kan die engel het wel schudden en kiest ze voor opa,' zegt Helena beslist.

Even is Brid stil, met haar gedachten bij opa's hutkoffer. Dan wil ze het weten. 'Van wie is dat oudroze kinderdekentje in opa's hutkoffer eigenlijk?'

Helena trekt een frons in haar voorhoofd. 'Die kinderdeken, is die er dan nog? Ik dacht dat die allang weg was...' Haar gezicht wordt bleek en daarna rood.

Zie je, er is iets mee. Iets wat ze liever wilde vergeten...

'Het heeft altijd in de hutkoffer gelegen,' zegt Brid dan. 'Al zo lang ik erin kijk, en dat is toch al een jaar of tien. Maar ik heb nooit gezien dat het een kinderdekentje was.'

'Ik heb al eeuwen niet in die koffer gekeken,' zegt Helena. 'Wat zit er nog meer in?'

Brid somt het op.

Helena zwijgt. Met een vermoeid gebaar wrijft ze over haar gezicht.

'Onder dat dekentje heeft opa nog gelegen,' zegt ze dan. 'Toen hij klein was. En Frans, en ik. En daarna jij. En toen dacht ik dat ik het had weggegooid, nadat...' Ze zwijgt.

'Nadat?'

Helena slaat een arm om Brid heen. 'Na wat er destijds is gebeurd en ik geen kinderen meer kon krijgen.'

'O, dat...' Brid is bijna teleurgesteld dat Helena niet met een nieuw verhaal aankomt, iets wat ze nog niet wist. Maar haar ouders hebben het haar al verteld toen ze een jaar of acht was. Toen ze vroeg of er 'alsjebliefalsjebliefalsjeblíéft!' nog een broertje of een zusje kon komen. Hoewel Brid diep in haar hart al wist dat dat nooit zou gebeuren...

Brid was nog heel klein, drie jaar pas. Haar moeder moest huilen. Ze was iets kwijt, voelde Brid. Iets heel belangrijks. Ze wilde dat Helena vertelde wat het was, dan kon ze misschien helpen zoeken. Ze weet nog precies wat ze destijds had gedacht: *Ik ben heel goed in zoeken. Alles wat glimt en glanst, vind ik. Alles wat belangrijk is ook...*

Maar Helena vertelde het haar niet. Na een poosje stopte ze met huilen. Soms keek ze afwezig voor zich uit. Met haar hand op haar buik.

Een lege buik vol verdriet...

'Hij kon niet blijven leven,' zegt Brid troostend, 'dat weet je toch?'

Helena knikt. 'Ja, maar toch...'

Brids broertje zou zwaar gehandicapt ter wereld gekomen zijn. Na lang wikken en wegen waren Ray en Helena tot de conclusie gekomen dat ze dat niet wilden. Niet voor zichzelf, niet voor Brid en al helemaal niet voor Job, zoals hij geheten zou hebben.

Brid denkt aan hoe hij eruit zou hebben gezien, in een rolstoel, met een wiebelend hoofd en kwijl langs zijn kin.

Helena zucht. 'Waarschijnlijk zou hij zijn leven lang aan bed gekluisterd zijn geweest, als een kasplantje. Daar was niemand bij gebaat. Niemand...'

Niet eens sterk genoeg voor een rolstoel, denkt Brid. Waarschijnlijk wel kwijl langs zijn kin...

Brid spitst haar oren. Half en half verwacht ze opa's stem te horen, maar het blijft stil.

Ooit zal ze haar moeder vertellen dat ze het zich herinnert: Helena's verdriet, haar lege buik. Ooit, als ze ook over opa's stem in haar hoofd vertelt.

Brid pakt haar moeders hand. 'Het is oké. Jobs verhaal was al af voordat hij geboren werd.'

Soms weet Brid zelf niet waar haar woorden vandaan komen. Alsof ze worden voorgezegd en zij ze alleen maar hoeft uit te spreken.

Niet-begrijpend kijkt Helena haar dochter aan. 'Jij zegt altijd van die wijze dingen. Dat had je als kind al. Soms weet ik niet wat ik daarmee moet.'

'Niets, je hoeft er niets mee,' zegt Brid. 'Zolang je maar van me houdt.'

Helena slaat haar armen om haar dochter heen en begint te huilen.

Zacht en ingehouden.

Ik had een broertje kunnen hebben. Een zwaar gehandicapt broertje. Kwijlend, in een bed.
Als hij al had overleefd.
Papa en mama konden het niet aan om zo'n kind te hebben.
Dat snap ik heel goed.
Job vond het oké om niet geboren te worden, dat weet ik.
Soms schrik ik van mijn eigen gedachten. Hoe kan ik nou weten of hij het oké vond? Hij zat nog niet eens vijf maanden in mama's buik, hij kon nog helemaal niet denken! Tenminste, niet officieel...
Goed, score tot nu toe in deze familie: twee dode oma's, twee dode opa's, een zwaar gehandicapt broertje dat is doodgegaan ver voordat hij was geboren, en heel vroeger ook nog een oom die tijdens zijn geboorte doodging. Alsof hij zo van de wereld schrok dat hij er ineens helemaal geen zin meer in had. Gedoopt of niet gedoopt, dat maakte hem geen bal meer uit. Wegwezen hier, zolang het nog kon!
Toen mama geboren werd, dachten ze ook dat ze dood was. Ze huilde ook niet, net als haar dode broertje. Maar na een paar tikken en een wisselbad zette ze zo'n keel op dat de hele straat meteen wist dat ze er was.
Ik ben blij dat ze dat toen deed.
Anders was ik er nu ook niet geweest...

9

'Hé.'

'Hoi.'

Brid bloost. Ze was bijna vergeten hoe waanzinnig aantrekkelijk ze Menno vindt. Hoewel hij eigenlijk helemaal niet knap is: zijn haar is te piekerig, zijn neus te groot, zijn wangen te pukkelig en zijn lippen te bleek. Maar in romantische boeken zouden zijn ogen worden beschreven als meren waarin je kunt verdrinken...

Blauw, helder, genadeloos.

'Hoe is het?' vraagt hij bezorgd. 'Ik heb aan je gedacht.'

'Ja,' stamelt Brid zonder antwoord te geven op zijn vraag. Ze weet niet wat ze moet zeggen.

'Hoe voel je je?' vraagt hij door.

Brid haalt haar schouders op. 'Ik weet het niet,' zegt ze, terwijl ze haar ogen neerslaat.

Opeens realiseert ze zich dat dit nog waar is ook. Ze weet het echt niet.

'Het was gewoon zijn tijd,' had oma Mies nog gezegd. Brid wist niet zo gauw wat ze daarvan moest denken. Want wanneer was het je tijd? Sommige mensen gaan heel jong dood, is het dan ook je tijd?

Brid is er niet bang voor, maar toch moet ze er niet aan

denken om zelf al dood te gaan. Ze wil nog een heel leven voor zich hebben, samen met een jongen wiens ogen zo blauw zijn dat je erin kunt verdrinken...

Ze kijkt Menno weer aan. Opa's ogen waren ook blauw, maar niet zo blauw als die van Menno, denkt ze. De kleur van de ogen van oma De Lange kan ze zich niet meer herinneren.

Dan schiet er een siddering door haar lichaam.

Groen! Oma's ogen waren groen!

Het is de eerste keer in een heel lange tijd dat ze oma's ogen zo helder voor zich ziet. Veertien jaar, om precies te zijn. Alsof ze het zich nu pas weer mag herinneren: het waren groene ogen die in haar wieg keken en die haar een verhaal vertelden. Een verhaal zonder woorden, maar dat was ook niet nodig. Ze begreep het zo ook wel.

'Wat is er?' vraagt Menno. 'Je ziet ineens zo wit.'

Brid wendt haar gezicht af. Er springen tranen in haar ogen. Ze kan ze niet tegenhouden.

Bij Menno, midden op het schoolplein. Pijnlijker kan bijna niet.

Dit keer zijn het geen tranen om het verdriet van haar moeder, weet ze.

Dit keer is het om het verdriet van oma...

10

Ik heb gehuild. Maar wel op het verkeerde moment: waar Menno bij was! Ik schaamde me, maar hij zei dat dat niet hoefde, dat hij het heel goed begreep. Dat hij het niet kón begrijpen, kon ik hem niet vertellen. Hij dacht dat ik om opa huilde, maar dat was niet zo, ik huilde om oma. Om oma's lege buik, nadat er een baby uit was geboren die niet meer leefde. Een buik waar daarna nooit meer een baby in heeft gezeten, net als bij mama. Toen oma in mijn wieg keek, kon ik dat verhaal in haar ogen lezen. Ik hoorde geen woorden – haar blik was genoeg.
Hoe kun je zoiets uitleggen aan de jongen op wie je verliefd bent, maar die niets van je weet? Ja, hij weet dat ik lang roodbruin haar heb, goed ben in talen en slecht in wiskunde, en dat ik graag hardloop om mijn hoofd leeg te maken. Maar hij weet niet dat ik soms aura's zie, dat ik herinneringen heb van zelfs voordat ik geboren was, dat ik weet dat er meer is na de dood. En ook ervoor...
Al die dingen kon ik hem niet zeggen. Maar op dat moment gaf dat niet. Hij heeft me getroost. Hij sloeg zijn armen om me heen. Dat voelde veilig. Ik wilde dat het eeuwig duurde. Hoewel ik toch ook even aan Kim moest denken, en aan de vraag of hij nou wel of niet verliefd op haar

is... En of ze op dat moment in de buurt was en ons zag.
Toen de bel ging, was het alsof er een knop omging: ik kon meteen weer stoppen met huilen. Dat heb ik trouwens altijd al gehad, ook toen ik nog klein was. Hoewel ik ook toen niet eens veel huilde. Zelfs niet als ik me bezeerde. In plaats daarvan schijn ik met grote belangstelling naar mijn wondjes en blauwe plekken gekeken te hebben, alsof ik een dokter was die nog nooit zoiets had gezien en het allemaal heel interessant vond.
Het was wel fijn dat ik ook nu meteen kon stoppen met huilen, want ik kan geen wiskundelessen meer missen. 'Je moet wel je diploma halen, hoor,' hoorde ik opa zeggen. Dat hielp wel. Ook al is de wiskundeleraar een creep: gatver, vandaag was hij een grotere engerd dan ever!
Na school is Menno met mij mee naar huis gefietst, maar hij moest daarna meteen weer weg, naar basketbaltraining. Jammer.

Brid heeft haar netste kleren aangetrokken. Vanavond is er een avondwake in de kerk. Er is een dienst waarin mensen afscheid kunnen nemen van opa.

Als Brid en haar ouders de kerk binnenkomen, speelt het kerkorgel.

'Tjongejonge...' mompelt Ray. Zijn gezicht staat op onweer.

Opa staat helemaal vooraan in het gangpad. Nou ja, hij lígt natuurlijk, in de kist. Niet de eenvoudigste, zoals Frans en Helena hadden gewild, maar een iets luxere uitvoering.

Er staan zes grote kaarsen om de kist, aan elke lange kant drie.

Opa ligt er mooi bij, vindt Brid. Hoewel ze ook ziet dat hij steeds meer op een pop begint te lijken. Ze kan zien dat zijn mond is dichtgeplakt en hij heeft zijn ogen stijf dicht. Als je slaapt, heb je je ogen niet zo stijf dicht, weet Brid, en gaan tijdens je droomslaap je oogbollen heen en weer. Opa's oogbollen staan helemaal stil.

In dit leven valt er niets meer te dromen...

Brid merkt dat haar moeder het nog steeds eng vindt om naar opa te kijken, maar ze moet niet meer huilen. Ze is nu verdrietig zonder tranen, zonder geluid.

Ray staat geboeid in de kist te kijken. Zijn gezicht krijgt een zachtere uitdrukking. 'Tjonge,' zegt hij weer. Voorzichtig strijkt hij met zijn hand over opa's haar. 'Koud,' fluistert hij.

Aarzelend steekt Brid haar hand uit, maar trekt hem dan weer terug.

Ray merkt Brids aarzeling op. 'Toe maar,' zegt hij zachtjes.

Opnieuw brengt ze haar hand naar voren. Langzaam. Haar vingertoppen raken opa's voorhoofd. Met haar pink glijdt ze even langs zijn wang. Alle warmte is uit zijn huid verdwenen.

Brid rilt. Opa voelt kouder aan dan Stip toen hij dood was. Het lijkt wel of ze opa net uit de koelkast hebben gehaald. Alsof hij niet mag bederven voordat hij in de grond wordt gestopt.

Even later zit Brid naast haar moeder in de kerkbank. 'Hard,' zegt ze, wijzend naar de houten zitting.

'Vertel mij wat,' grinnikt Helena. Dan zucht ze. 'Krijgt mijn vader me toch nog de kerk in. De slimmerik.'

Er komen steeds meer mensen binnen. Bijna allemaal lopen ze naar de kist, kijken even, houden de kist een kort moment vast en leggen ze bloemen op het voeteneinde of op de grond – waar een speciale plek voor de bloemen is gemaakt.

Sommige mensen huilen, andere niet. Niet iedereen kijkt in de kist.

Brid snapt dat wel. Niet iedereen durft naar een dode te kijken. Misschien is het pas hun eerste.

Dan schuift Mia naast Brid in de kerkbank en knijpt ze haar nichtje in haar arm. Ze kijken elkaar samenzweerderig aan.

'Straks?' fluistert Mia.

Brid knikt.

Mia hoeft niet uit te leggen wat ze bedoelt. Vanavond gaan Frans en Mia nog even met hen mee naar huis. Brid en Mia verdwijnen dan natuurlijk meteen naar Brids kamer. Daar zullen ze kaarsen aansteken en gaan praten. Over toen, over nu, over later.

Over dingen die ze aan niemand anders vertellen.

Net als vroeger.

11

De dienst valt mee. Dat had Brid niet verwacht. Ray vertelt een mooi verhaal over opa waar iedereen om moet lachen, en Frans leest een grappig gedicht voor. 'We gaan niet te dramatisch doen, hoor,' hadden ze gezegd. 'Er wordt al zo weinig gelachen op begrafenissen.'

Er worden kerkliedjes gezongen waar geen eind aan komt, en er worden hosties uitgedeeld: ronde plakjes knisperkoek die aan je gehemelte blijven plakken. Als Brid achter Helena en Mia de kerkbank uitstapt om er een te gaan halen, blijven Ray en Frans zitten. 'Uit principe,' lijkt hun blik te zeggen.

Na de dienst moeten ze in een rijtje gaan staan voor de condoleance.

Brid kent bijna niemand. 'Goh, wat ben jij groot geworden,' zeggen sommigen (*ja, duh!*) en ook dat ze haar nog kennen van de tijd waarin ze nog zo'n lief hummeltje was.

Ook tegen Mia hoort Brid mensen dingen zeggen als: 'Studéér jij al? Wat gaat de tijd snel!'

Het irriteert Brid. Ja, de tijd gaat snel, behalve in een kerk...

Frans staat helemaal aan het einde van het rijtje. Brid ziet hem met een vrouw praten. Hij kijkt haar flirterig aan.

Ze slaat verlegen haar ogen neer, tovert een glimlach om haar mond en kijkt met een verleidelijke blik weer naar hem op. Ze is minstens tien centimeter kleiner dan Frans. Zoals ze er bijstaat, ziet ze er nog uit als een schoolmeisje.

Frans lacht. Zij lacht ook. Een kort moment kijken ze allebei om zich heen, alsof ze zich betrapt voelen. Dan geeft de vrouw Frans een hand. En een kus. Op zijn wang, vlak naast zijn mond.

Brids blik valt op oma Mies. Zij neemt dapper alle goedbedoelde woorden in ontvangst.

Brid heeft met haar te doen, straks is oma weer alleen. Alleen in een groot bed, waar ze eerst met z'n tweeën in lagen. Alleen aan de ontbijttafel, alleen op de bank voor de televisie.

Alleen, alleen, alleen...

Helena's tranen zijn op, ze huilt niet meer. Ze heeft zelfs iets vrolijks in haar gezicht.

Als ze na afloop de kerk uit loopt, werpt Brid nog één blik in de kist.

Dag opa...

'Wie was dat?' vraagt Mia als ze na de dienst in opa's huis aan de koffie zitten, of in het geval van Brid en Mia: aan de thee.

'Wie?' vraagt Frans.

'Alsof je dat niet weet,' zegt Mia smalend.

'Evelien uit de Oranjestraat,' antwoordt Helena, nog voordat haar broer daar de kans voor krijgt. Ze trekt er een triomfantelijk gezicht bij.

'Een buurmeisje van vroeger,' verduidelijkt Frans snel. 'Er was ook een Evelien uit de Populierenlaan.'

'Ofwel de Populairelaan,' zegt Helena grinnikend. 'Daar woonden maar liefst vier meisjes met wie Frans iets heeft gehad.'

'Nou, gehad...' sputtert Frans. 'Als je nog op de lagere school zit, heet dat niet bepaald gehad.'

'Basisschool, Frans, dat heet tegenwoordig basisschool,' zegt Helena plagerig.

Frans haalt zijn schouders op. 'In mijn tijd nog niet.'

'En vertel eens over die Evelien?' brengt Mia het onderwerp terug. Ze trekt haar wenkbrauwen vragend op, haar linkerwenkbrauw iets hoger dan de rechter.

Dat heeft Brid altijd prachtig aan haar gevonden: die vragende, ietwat spottende blik.

'Met Evelien heeft hij liggen zoenen, in een tentje in de achtertuin,' flapt Helena eruit.

Frans trekt een gezicht alsof hij zich met terugwerkende kracht betrapt voelt. 'Hoe weet jij dat?'

'Die tent scheen hartstikke door!' Helena barst in lachen uit.

Daar is oma Mies, met een schaal koeken.

Kokosmakronen.

Niet omdat iedereen die zo geweldig lekker vindt, maar omdat opa daar zo dol op was.

'Zoenen in een tentje?' zegt oma Mies. 'Dat klinkt lekker.'

Iedereen moet lachen, oma Mies zelf ook. Maar dan krijgen haar ogen weer een droevige blik.

Zoenen in een stacaravan zit er voor haar ook niet meer in...

12

'Dat was best een mooie avondwake,' zegt Mia, als ze zich met een mok thee en een hoop kussens in hun rug op Brids bed hebben geïnstalleerd.

Ze hebben de gordijnen dichtgetrokken en kaarsen aangestoken.

'Ja,' zegt Brid. 'Maar mij duurde het allemaal te lang. Vooral aan het eind, toen we iedereen een hand moesten geven. Ik kende bijna niemand.'

Mia begint te giechelen. 'De meeste mensen vonden mij maar raar, dat weet ik bijna zeker.'

Brid laat haar blik even over Mia's outfit glijden. Ze draagt vandaag een lange zwarte rok, met daarboven een zwarte blouse en een kort zwart vestje. Met haar donkere oogmake-up en het opvallende zilveren pentagram om haar nek ziet ze er best *spooky* uit.

'Waarom draag je eigenlijk dit soort kleren?' vraagt Brid. 'Als ik een kind was, zou ik denken dat je een heks was.'

Mia tovert een sinister lachje om haar mond. 'Misschien ben ik dat ook wel...'

FLITS.

De groene ogen van oma.

Brid knippert even met haar ogen. Het beeld verdwijnt weer.

'Wat is er?' klinkt Mia's stem ergens in de verte.

Afwezig kijkt Brid haar aan. 'Hmm?'

'Je keek alsof je een spook zag.'

Brid bijt op haar lip. Ze aarzelt.

'Eh, ik...' Ze neemt een slok thee. 'Weet je...'

Ze twijfelt. Moet ze het wel vertellen? Zal Mia het begrijpen? Even denkt Brid terug aan wat opa tegen haar zei, in haar droom: *'Praat met Mia, zij kan je helpen.'*

Van opzij kijkt Brid Mia aan. 'Ik moet je iets vertellen,' zegt ze dan.

'Hmm...' zegt Mia, nadat Brid haar verhaal heeft gedaan – over de flitsen, opa's stem in haar hoofd, het beeld van oma's groene ogen, de wolken van licht die ze al haar hele leven om mensen heen ziet, dat het een tijdje is weg geweest, maar dat het sinds opa's dood weer in alle hevigheid is teruggekomen.

Peinzend kijkt Mia Brid aan.

'Wat: hmm?' wil Brid weten.

'Het zit in de familie,' zegt Mia dan.

'Hoezo?'

Mia trekt haar knieën op en slaat haar armen om haar onderbenen.

'Twaalf jaar geleden, toen oma doodging, hoorde ik haar stem...' zegt ze zachtjes. 'Ik was toen zeven.'

Brid staart haar aan. 'Jeetje, zo jong nog. Schrok je niet?'

Mia schudt langzaam haar hoofd. 'Nee, dat was het gekke. Ik vond het juist wel fijn. Het troostte me.'

Brid is er stil van. 'Dus jij ook...' zegt ze dan. Gek dat we het daar dan nooit over hebben gehad, denkt ze. Maar ja, toen Mia zeven was, was zij natuurlijk pas twee...

Even moet Brid weer aan Char denken die het heel normaal vindt om met overleden mensen te praten.

Ik vind opa alleen meer dan genoeg. Ik hoef mijn beroep er niet van te maken, en al helemaal niet op tv. Ik moet er niet aan denken.

'Ik kan ook aura's zien,' doorbreekt Mia haar gedachtes.

'Hè?' Verrast kijkt Brid haar nicht aan. 'Echt?'

Mia knikt. 'En net als jij kan ik ze ook uitzetten. Alleen doe ik dat de laatste tijd steeds minder. Ik vind het wel handig om te weten wat ik aan mensen heb.' Ze zucht. 'Maar soms is het lastig. Als de kleuren om iemand heen er niet goed uitzien bijvoorbeeld. Soms zijn mensen in de war of bang of ziek, en dat zie je. Soms hebben ze zelfs zwarte vlekken in hun aura. Dat zie ik liever niet...'

'Jeetje!' roept Brid opgelucht uit. 'En ik maar denken dat ik dit voor mezelf moest houden omdat niemand me zou begrijpen!' Ze schiet in een opgeluchte lach. 'Vroeger dacht ik wel eens dat er wat aan mijn ogen mankeerde...'

'Aan jouw ogen mankeert helemaal niks.' Mia kruipt naar het voeteneinde van het bed, springt er vanaf en gaat dan achter Brids bureau zitten. 'Mag ik je laptop even aanzetten?'

Zodra er verbinding is, toetst Mia met snelle vingers in: `aura's zien`.

Binnen de kortste keren zitten ze op het internet aurafoto's te bekijken en de ervaringen van tientallen mensen te lezen.

Brid is stomverbaasd. 'Ik wist niet dat er zoveel informatie over was... Stom dat ik zelf nooit op het idee gekomen ben om erop te gaan googelen.' Ze pakt de muis over van Mia en klikt. 'Kijk,' zegt ze verrast. 'Er is zelfs een site voor jongeren. Er zijn dus ook andere kinderen die dit hebben!'

'Júíst kinderen,' zegt Mia met klem. 'Alleen worden die vaak niet serieus genomen.' Ze kijkt Brid onderzoekend aan. 'Weten jouw ouders er eigenlijk van?'

Brid schudt haar hoofd. 'Vroeger heb ik er wel eens iets over gezegd, maar zij dachten altijd dat het kinderpraat was.' Ze denkt even na. 'Maar dat vond ik eigenlijk niet zo erg, ik vind het wel fijn om in mijn eigen wereldje te leven.'

Mia grijnst. 'Is dat hardlopen van jou ook een manier om in je eigen wereldje te zijn?'

'Misschien,' antwoordt Brid aarzelend. Ze kijkt Mia een kort moment zwijgend aan. 'Ik vind het vooral lekker om op die manier mijn hoofd leeg te maken.'

Mia sluit haar ogen en haalt diep adem. *'My mind is clear, my mind is free. A peaceful place inside of me,'* zegt ze op zachte toon.

Brids gezicht licht op. 'Wat een mooie zin!'

Mia glundert. 'Ja, hè? Zelf verzonnen.'

Brid haalt snel haar schrift onder haar hoofdkussen vandaan. 'Zeg het nog eens?'

Mia herhaalt de zin, woord voor woord.

'Mooi...' zegt Brid, terwijl ze het opschrijft. Dan kijkt ze Mia nieuwsgierig aan. 'Geloof jij eigenlijk in God?'

Mia begint te giechelen en grapt: 'Alleen als het een vrouw is.'

'Maria dus?'

'Maria is God niet.'

‘Maar opa geloofde in haar.’

‘En opa’s moeder ook, heel erg. Wist je dat?’

Brid probeert zich haar overgrootmoeder voor de geest te halen. Ze ziet een oude, kromgetrokken, kleine vrouw met zilverwit haar in een knot en met een koektrommel in haar handen. Een klein meisje met kortgeknipt, rood haar kijkt verlangend naar haar op. Een magisch moment. Het is een foto van Helena en haar oma. Die foto hangt in de huiskamer.

Het bejaardenhuis waar de foto was genomen, werd geleid door een stuk of wat nonnen en één pastoor. ‘Een zalige tijd voor die pastoor,’ zegt Frans wel eens.

Brid staart voor zich uit.

Beelden vormen zich in haar hoofd...

In de grote tuin van het bejaardenhuis staat een stokoude kastanjeboom. Een jonge, speelse collie rent er rond. Een klein meisje met kortgeknipt rood haar begint te huilen. Ze is bang voor honden. Haar grote broer brengt de hond terug naar de pastorie.

Achter in de tuin is een namaakgrot met een Mariabeeld erin.

Duiven koeren. De lucht is blauw. Het is windstil.

Binnen is er een gang, met een brede houten trap met een ouderwetse, gebloemde traploper erop. Hun favoriete spelletje is van de trapleuning afglijden. Het gaat bijna altijd goed. Als het niet goed gaat, vangt de jongen het kleine meisje op. Helena is zijn kleine zusje. Hij moet goed voor haar zorgen.

Later willen ze niet meer altijd mee naar opa en oma. Ze willen spelen met hun vriendjes en vriendinnetjes. Ze hebben er geen zin in om elke zondagmiddag stokoude mensen om zich heen te hebben. En ook geen strenge nonnen en een pastoor. En Helena geen collie.

Maar als Helena er is, wil ze naar de grot met het Mariabeeld. Daar wordt ze rustig van.

En in de herfst wil ze handenvol kastanjes mee naar huis nemen. Die voelen lekker rond en glad. Als ze verschrompelen, gooit ze ze weg. Dan voelen ze niet lekker meer...

'Hé, waar ben je? Ik praat tegen je.'

Brid voelt een zachte stomp tegen haar arm. Verdwaasd kijkt ze op. 'Wat?'

'Waar was je?' vraagt Mia. Ze lacht. 'Het leek wel of je aan het *spacen* was.'

'Ja, ik was door ruimte en tijd aan het reizen,' antwoordt Brid giechelend. 'Ik was ver terug in de vorige eeuw, in een grot, bij Maria.'

Als Brid haar over haar dagdroom vertelt, zegt Mia met een zucht: 'Ach ja, Maria...' En dan, met twinkelende ogen en een plotseling energieke stem: 'Ken jij de befaamde sterfscènes van onze overgrootouders eigenlijk al?'

'Befaamde sterfscènes? Heb je niet iets vrolijkers in de aanbieding?'

'Dit ís vrolijk!' roept Mia vol vuur. Ze pakt Brids handen vast. 'Frans heeft het me verteld. Ik weet zeker dat je ervan zult smullen.' Ze zet haar verhalen-vertel-gezicht op.

'De vader van opa was dol op vogels,' begint ze. 'Vogels waren zijn passie. Toen hij vierennegentig was, werd hij ziek, griep of zo. Op een dag wees hij schuin voor zich uit en zei: "Zien jullie die vogel daar? Wat is hij mooi!" Een gelukzalige blik, een laatste zucht, dood.'

Brid staart Mia met grote, verbaasde ogen aan. 'Echt? Wat bijzonder...'

'En de moeder van opa was knettergek van Maria,' vervolgt Mia op een toon alsof ze iets nóg mooiers in de aanbieding heeft. 'Toen zij tweeënnegentig was, werd ook zij een beetje ziek. Op een dag wees ze schuin voor zich uit en zei: "Daar is ze, Maria... Wat is ze mooi..." Een gelukzalige blik, een laatste zucht, dood.'

Even is Brid stil. 'Echt waar? Wauw, gaaf...' fluistert ze dan.

Mia laat Brids handen weer los. Ze straalt. 'Daar word je toch vanzelf vrolijk van? Om zó dood te gaan... Ze leken wel de indianen van heel vroeger die zelf het moment kozen waarop ze stierven.'

Brid lacht. Bij de foto's die ze van haar overgrootouders kent, legt ze niet bepaald de link met indianen.

'Wat zou opa hebben gezien toen hij doodging?' vraagt Brid zich hardop af.

'Oma,' antwoordt Mia beslist. 'Dat weet ik zeker.'

Ik wil nog lang niet dood, maar als ik doodga, wil ik dat het net zo gaat als bij de opa en oma van Helena. Die werden gewoon een beetje ziek, zagen het mooiste plaatje van hun leven en huppatee! Dat is eigenlijk nog beter dan de manier waarop opa is doodgegaan, want dat was te plotseling. Hij was niet eens ziek, er was niks aan de hand, en ineens piepte hij er zomaar tussenuit. Wel lekker voor hem, maar minder lekker voor ons.
Ik ben blij met Mia. Ze kan goed luisteren en ze vindt niks stom.

Ze noemen mij wel eens te wijs voor mijn leeftijd, maar Mia is dat volgens mij ook. Soms praat ze alsof ze alles al weet. Misschien is dat ook wel zo...

13

My mind is clear, my mind is free, a peaceful place inside of me...

Voordat opa vanmiddag wordt begraven, gaat Brid nog even hardlopen om haar gedachten te ordenen.

Het heksenversje van Mia komt haar vandaag goed van pas om in de juiste cadans te komen.

Haar gedachten gaan naar de begrafenis. Opa wilde niet gecremeerd worden. Hij wilde liever kalmpjes aan door de wormen worden opgegeten dan in sneltreinvaart door likkende vlammen worden verteerd.

Zou ik ook begraven willen worden of vind ik verbranden beter?

Brid rilt. Eigenlijk wil ze daar helemaal nog niet over nadenken, ze wil nog lang niet dood. Maar gisteren, toen Mia weg was en Brid nog wat televisie wilde kijken, was ze toevallig (hoewel, toevallig...) in een documentaire over begrafenisrituelen terechtgekomen. Eerst had ze door willen zappen, er was immers al genoeg dood in haar leven, maar iets had haar daarvan weerhouden. Met stijgende verwondering had ze gezien hoe doden werden gebalsemd, hoe vrouwen gillend en krijsend bij hun overleden geliefde stonden, of hoe mensen juist dansend en zingend afscheid namen omdat hun dierbare nu weer terug was naar 'huis'. Ze zag hoe doden op houten vlotten werden gelegd, die daarna in de fik werden gestoken en de rivier op werden geduwd. Ook zag ze hoe er gebeden werd, in stilte of juist met een hoop kabaal.

Plotseling had Brid zich gerealiseerd dat die documentaire dan wel over de dood ging, maar ook over de liefde: tijdens hun leven werd er van die mensen gehouden, nu ze dood waren, werden ze met liefde losgelaten.

Brid denkt aan het onpersoonlijke, kleurloze en kille rouwcentrum waar opa ligt.

Maar misschien vindt hij het er zelf niet kil. Ik hoop dat er een kaarsje bij hem brandt, maar dat is natuurlijk typisch een idee voor een levende. Een dode maakt dat waarschijnlijk niks meer uit...

Net als Brid van plan is haar tempo te verhogen om een sprintje in te zetten, houdt ze verrast haar pas weer in.

Gekleed in een oversized shirt en dito joggingbroek komt vanuit de tegenovergestelde richting Menno aanrennen.

'Hé!' roept Brid.

Een beetje afwezig, alsof hij niet zeker weet of het voor hem bedoeld is, kijkt hij haar kant op. Dan licht zijn gezicht op. 'Hé!' Met een stralende blik komt hij op haar af lopen.

'Wat doe jij nou hier?' vraagt Brid. 'Is er geen school?'

'We hebben de eerste drie uur vrij,' antwoordt Menno. Hij kijkt haar verbaasd aan. 'Ik dacht dat jij naar de begrafenis van je opa was?'

'Vanmiddag pas,' zegt Brid. 'Wat ik nu doe, heet legaal spijbelen.' Ze laat haar blik over zijn sportieve outfit glijden.

Het blauw van zijn shirt lijkt te versmelten met het blauw van zijn ogen.

Brids hart slaat over.

'Ik wist niet dat jij ook hardliep,' zegt ze snel. 'Ik dacht dat jij alleen basketbal speelde.'

'Dat dacht ik ook. Tot vanochtend. Ik móést ineens even rennen.'

Brid schiet in de lach. 'Wat grappig, dat heb ik ook altijd. Heb ik je aangestoken?'

'Nou, als dat zou kunnen...' zegt hij met een brede grijns.

Het zweet breekt Brid uit.

Staat hij me nou te versieren of lijkt dat maar zo?

Gelukkig heeft ze net al een kwartiertje gelopen en ziet ze daardoor toch al rood. Ze hoopt vurig dat haar bloosaanval niet opvalt...

Net als ze haar mond wil opendoen om te vragen of hij nu van plan is vaker te gaan rennen, wordt haar aandacht naar zijn schedeldak getrokken. Een wolk van licht omlijst zijn hoofd, in alle kleuren van de regenboog, prachtig in elkaar overvloeiend.

Brids mond valt open.

Met een onzeker gebaar strijkt Menno even over zijn haar. 'Zit er iets?'

Ja, je aura en die is vet mooi...

Maar dat zegt ze natuurlijk niet. In plaats daarvan knippert ze een paar keer met haar ogen. De kleuren verdwijnen weer. Nou ja, ze zijn er nog wel, maar ze ziet ze niet meer...

'Is het weg?' vraagt Menno.

'Ja,' antwoordt Brid.

Hij moest eens weten.

Ze blaast een plukje haar voor haar ogen weg. Het gaat haar allemaal veel te snel. Opa De Lange is nog geen vier dagen dood en ze hoort niet alleen zijn stem, maar ziet ook ineens weer overal aura's. Ze weet niet of ze daar wel zo blij mee is.

Menno kijkt op zijn horloge. 'Ik moet opschieten, over drie kwartier begint Engels.'

'Oké, tot maandag. *Hang in there.*'

'Yep.'

Brid draait zich om.

'Jij ook, bij je opa's begrafenis...' hoort ze Menno achter zich zeggen.

Brid draait zich naar hem terug.

'Dank je,' zegt ze. Totaal onverwacht voelt ze de tranen weer achter haar ogen prikken. 'Ik moet ook opschieten,' zegt ze snel, terwijl ze een looppas inzet.

Ze is echt niet van plan om te gaan huilen.

Niet nu. Niet weer bij Menno...

De kerk zit vol. De kist staat weer vooraan in het gangpad, maar nu is hij dicht. Voordat hij werd gesloten, hebben ze er wat spulletjes in gedaan, waaronder de zalmroze deken.

'Dan doen we net of het ons doodgeboren broertje is,' zei Frans tegen Helena. 'Zo krijgt hij toch nog een fatsoenlijke begrafenis.'

Tijdens de dienst houdt Helena een korte toespraak. Haar stem trilt, maar ze gaat gelukkig niet huilen.

Ray leest een gedicht voor en Frans vertelt een paar vrolijke anekdotes over opa, waar mensen om moeten lachen en huilen tegelijk.

Ook Mia leest iets voor, een verhaal over een sneeuwvlok. Elke sneeuwvlok is uniek, vertelt het verhaal, maar als sneeuwvlokken zich bij elkaar voegen tot een pak sneeuw, worden ze weer deel van het geheel. Als Mia het voordraagt, is het doodstil in de kerk.

De kerk zit propvol met mensen die opa De Lange hebben gekend. Als buurman, neef, vriend, leraar of collega. Opa is leraar geschiedenis geweest op een middelbare school. Veertig jaar lang ging hij fluitend naar school en kwam hij fluitend weer thuis. Maar vanaf de eerste dag dat hij met pensioen was, leek hij die veertig jaar in één klap van tafel te vegen.

Knap, vindt Brid. Opa was iemand van 'gedaan is gedaan en nu weer verder'. Ze weet niet of ze dat zelf ooit zo zal kunnen.

De oude pastoor die de dienst leidt, lijkt er heel andere ideeën op na te houden. De mis duurt eindeloos. Met bevende handen, onverstaanbaar prevelend, werkt hij zich door de gebeden heen. 'Eigenlijk is hij al dood, maar weet hij het nog niet,' zegt Frans later over de pastoor, van wie het leek dat hij de honderd al was gepasseerd.

Brid begint steeds beter te begrijpen waarom Helena zich als kind zo verveelde tijdens een Italiaanse mis. Als Brid nu wist dat buiten deze kerkdeuren een stralende zon en een heerlijk meer op haar lagen te wachten, dan zou elke minuut een uur duren.

De pastoor drinkt wijn uit een goudkleurige beker. Ook daar neemt hij ongegeneerd uitgebreid de tijd voor. Frans schiet in een onbedoelde lach. Snel buigt hij zijn hoofd en houdt zijn hand half voor zijn mond. 'Volgens mij is die kelk tot aan de rand toe gevuld,' fluistert hij in Brids oor.

'Straks mag jij ook een borrel,' fluistert Brid terug. 'Vooruit, twee,' voegt ze eraan toe.

Er ontsnapt een zucht uit Frans' mond. 'Hoe lang nog?'

Brid kijkt op haar horloge. De dienst duurt al bijna een uur.

Het 'Ave Maria' wordt ingezet.

Vals.

Brid kijkt in het boekje dat voor de dienst aan iedereen is uitgereikt. Het 'Ave Maria' staat als laatste genoemd.

Nog heel even volhouden, opa. Dan brengen we je weg.

Misschien had ik ook iets moeten zeggen, maar ik durfde het niet. De kerk zat hartstikke vol. Ik ben niet zo'n held in spreken in het openbaar. Ik hou ook niet van spreekbeurten. Ja, wel om naar te luisteren, maar niet om ze zelf te geven. Ter ere van opa had ik wel de nieuwe broek aan die ik van zijn geld heb gekocht. Dat geld gaf hij me een paar weken geleden, voor mijn tussenrapport. In de keuken gaf hij me stiekem honderd euro. 'Niet verder vertellen,' fluisterde hij. 'Ik kan het toch niet meenemen in mijn graf.' Alsof hij me toen al een seintje gaf, maar ook die keer had ik het niet in de gaten. Nu kan ik hem nooit meer mijn rapport laten zien...

Ook vandaag moest mama niet meer huilen. 'Het is op,' zei ze.

Buiten was het niet op. Toen opa naar het graf werd gedragen, kwam de regen met bakken uit de hemel. De pastoor raffelde het af. Er stond zo'n harde wind dat alle paraplu's stukwaaiden.

Mama zei dat het leek alsof opa wilde zeggen: 'Gauw naar

de koffie met cake – het heeft nu lang genoeg geduurd,
het leven gaat verder.'
Morgen gaat het leven voor mij ook verder.
En maandag zie ik Menno weer…

Deel 2

14

'Een Harley?!' hoort Brid haar moeder roepen.

Brid springt op en rent de trap af. Bij het woord Harley gaat haar bloed sneller stromen. Ze is dol op motoren, al van jongs af aan. Ze houdt het meest van die snelle Japanse racegevallen, maar ze weet dat opa vroeger een Harley Davidson had, en die heeft altijd enorm tot haar verbeelding gesproken. Ook al kende ze haar grootouders natuurlijk nog niet toen ze nog jong waren, Brid kan het zich moeiteloos voorstellen: opa aan het stuur, oma achterop. En later oma in het zijspan. Zonder helm, alleen een pet en een hoofddoek. Allebei jong, allebei verliefd en allebei nog zo groen als gras.

Als Brid de woonkeuken binnenkomt, ziet ze Ray bij het raam staan, stralend als een kind. Trots wijst hij naar buiten.

Brids mond valt open. Op de stoep aan de overkant staat een glanzende zwarte Harley Davidson. Met zo'n stoer, breed stuur.

Brid drukt haar neus tegen het raam. Opwinding maakt zich van haar meester. 'Van wie is die?' roept ze, met haar adem een vochtige plek op het raam achterlatend.

'Van mij,' antwoordt Ray. 'Gekocht van het geld dat ik met die fotoreportages over Spanje heb verdiend.'

'Echt?' zegt Brid. Ze draait zich om en kijkt haar vader verwachtingsvol aan. Ze zou het liefst nú naar beneden rennen, een helm op haar hoofd zetten en een ritje maken.

'Toe maar, snoepreisjes én geld verdienen,' zegt Helena, terwijl ze een arm om Ray heen slaat. Ze zucht. 'Lieverd, wat moet ik hier eigenlijk van zeggen?'

Met een teder gebaar beantwoordt Ray haar omhelzing. 'Dat je hem mooi vindt bijvoorbeeld? Of dat ik een stomme idioot ben dat ik zoveel geld uitgeef aan deze egotripperij? Of dat ik een gevoelloze zak ben omdat ik een motor koop nog geen twee weken na je vaders overlijden?'

Helena lacht. 'Dat is geheel in mijn vaders geest. Behalve het geld dat je ervoor hebt moeten neertellen, zou hij het een fantastisch idee hebben gevonden.'

'Hij is tweedehands,' zegt Ray bijna verontschuldigend.

'Kun je nagaan hoe duur die dingen níéuw zijn,' zegt Helena.

Brid kijkt haar vader verlangend aan. 'Wanneer mag ik achterop?'

Ray maakt zich van Helena los en heft zijn handen op. 'Ho, ho, ik moet eerst nog even oefenen. En als ik dat heb gedaan, is de eerste die achterop mag je moeder.'

Helena bloost.

Wat lief, denkt Brid. Ze zijn al zestien jaar bij elkaar en nog steeds kan mama verlegen van hem worden. Onwillekeurig gaan haar gedachten naar Menno: zou zij dat ook hebben als ze met Menno zou trouwen? Ze huivert. Belachelijk! Wie denkt er nou op zijn veertiende al aan trouwen? Ze lijkt wel gek.

Bijna smekend kijkt ze Ray aan. 'Maar daarna mag ik, toch? *Please?*'

Ray lacht. 'Ja, dan mag jij.'

'Je gelooft het niet,' zegt Brid die avond tegen Emma. 'Mijn vader heeft een Harley gekocht.'

'Echt? Van de erfenis van je opa?'

'Nee joh, dat is nog lang niet geregeld. Van het geld dat hij voor een opdracht heeft gekregen.'

'Jeetje. Ik word ook fotograaf als dat zo goed verdient.'

'Nou, niet altijd, hoor,' werpt Brid meteen tegen. 'In het begin verdiende hij bijna niks.' Ze weet nog goed dat haar ouders vroeger maar weinig geld hadden, omdat Ray net was begonnen als fotograaf en Helena nog studeerde. Nu is Helena parttimedocente op een kunstacademie. Parttime omdat ze fulltime te zwaar vindt. Niet alleen qua werk, maar omdat ze graag schildert en ze daar genoeg tijd voor wil overhouden. Thuis heeft ze een eigen kamer die ze als atelier gebruikt. De afgelopen paar maanden heeft ze zich voornamelijk beziggehouden met het schilderen van gorilla's en leeuwen, maar sinds kort is ze ook ineens boogschietende vrouwen gaan maken. Er hangt er eentje in Brids kamer, van een Chinese vrouw met een aangespannen kruisboog naast haar gezicht. Haar blik is zacht en ingetogen, maar door de kruisboog in haar handen straalt ze ook kracht uit. Daarin lijkt ze eigenlijk wel een beetje op mama, bedenkt Brid ineens. Zacht en ingetogen, en toch sterk.

'Maar nu verdient je vader dus wel genoeg met zijn werk,' merkt Emma op.

'Ja,' antwoordt Brid. Ze denkt aan wat Ray vroeger wel

eens tegen Helena zei: waarom uitgerekend zíj elkaar nou tegen moesten komen – dat in andere relaties er gewoon éëntje de creatieveling was, zodat de ander het geld kon binnenbrengen. Waarop Helena antwoordde dat zij elkaar tegenkwamen omdat het niet anders kon. 'Het was voorbestemd,' zei Helena.

Voorbestemd...

Opeens moet Brid weer aan het verhaal denken dat Mia haar kortgeleden vertelde over hoe opa en oma verkering hadden gekregen. 'Verkering, wat een ouderwets woord!' had Brid lacherig geroepen. Maar toen Mia het verhaal had verteld, voelde Brid zich ontroerd en vond ze 'verkering' bijna het mooiste woord dat ooit was uitgevonden.

Brid kijkt Emma met fonkelende ogen aan. 'Wil je een romantisch verhaal horen?'

'Over die Harley?' vraagt Emma.

Brid verlaagt haar stem. 'Over *een* Harley, ja...'

'Mijn opa was al een tijdje verliefd op mijn oma,' vertelt Brid, 'maar zij had niets in de gaten. Oma hielp wel eens in een winkeltje waar ze schrijfspullen verkochten en opa kwam daar om de haverklap een potje inkt kopen. "Is je inkt nu al op?" vroeg oma dan. "Het is omgevallen," zei mijn opa dan bijvoorbeeld. Iedere keer moest hij een andere smoes verzinnen om oma even te kunnen zien.

Op een dag was hij dapper genoeg. Hij stapte op zijn Harley en reed langs oma's huis. Hij belde aan. Gelukkig deed zij zelf open. "Wil je een stukje achter op de motor?" vroeg hij doodzenuwachtig. In haar hart wilde oma dat best wel, maar ze durfde dat niet toe te geven. Ze was net twee jaar verloofd geweest met een jongen van wie ze niet genoeg bleek te houden, en ze wilde niet weer iemand teleurstellen. "Liever niet," antwoordde ze snel. "Ik heb hoogtevrees..."' Brid eindigt haar laatste zin in een klaterende lach.

Ook Emma moet lachen. 'Hoogtevrees, op een motor! Wat een slechte smoes!'

'Ja, heel erg,' giechelt Brid. 'Maar moet je horen. Na een tijdje kreeg mijn oma een beetje spijt. Diep in haar hart vond ze opa heel leuk, maar ze durfde dat niet goed toe te geven. Toch lukte het haar ook niet om hem uit haar hoofd te zetten. Ze besloot een noveen te gaan bidden. Dan moet je negen weken lang elke vrijdag een speciale kaars opsteken en bepaalde gebeden bidden. Aan het eind van die periode zou je dan een antwoord moeten krijgen. Maar mijn oma vond negen weken te kort. Ze voelde dat ze langer tijd nodig had om na te denken. En dus besloot ze een noveen te houden van negen maanden, negen weken en negen dagen...'

'Wauw, wat lang...' zegt Emma onder de indruk.

'Ja, heel lang,' beaamt Brid, waarop ze vervolgt: 'Elke vrijdag brandde ze haar kaars en zei haar gebeden. Ook op de andere dagen bad ze. Mijn opa en oma zullen elkaar in die periode gerust wel eens hebben gezien, maar al die tijd heeft opa niet de moed gehad om haar nog eens mee uit te vragen.

Toen, negen maanden, negen weken en negen dagen later, precies op de negende dag, ging de bel. Mijn oma deed open. Tot haar stomme verbazing stond mijn opa voor haar neus, die eindelijk moed had gevat om het nog een keertje te proberen. Mijn oma kon niet anders dan dit te zien als een teken van God. Deze keer zei ze "ja", en ging ze wél bij hem achterop...'

Het blijft een tijdje stil. Alleen de cv-buizen maken zo nu en dan een tikkend geluid.

'Wat een mooi verhaal...' zegt Emma uiteindelijk. Ze slaakt een diepe zucht. Dan begint ze te giechelen. 'Was het ook niet toevallig precies op de negende minuut van het negende uur van de negende dag toen je opa aanbelde?'

Brid schiet in de lach. 'Dat zou me niets verbazen.'

'Hoe lang waren je grootouders eigenlijk getrouwd toen je oma doodging?'

'Ik geloof bijna veertig jaar.'

'Wat lang! Mijn ouders zijn pas zestien jaar samen.'

'Pas?' roept Brid. 'Genoeg ouders houden het niet eens zo lang uit. Volgens mij heeft meer dan de helft van de kinderen in onze klas gescheiden ouders.'

'Onze ouders zijn dus een soort uitzondering?' zegt Emma.

'Het lijkt er wel op.'

Emma slaat een arm om Brid heen. 'Ik hoop dat wij ook nooit zullen scheiden.' Ze geeft Brid een kus.

'Ik ook,' zegt Brid.

Mama zegt wel eens dat ik mazzel heb dat ik niet katholiek ben opgevoed. Maar stel dat oma niet katholiek was geweest, dan zou ze nooit op zo'n bijzondere manier opa hebben leren kennen.
Met Menno zal ik zoiets nooit meemaken. Ik weet niet hoe

je een noveen moet bidden. Ik weet niet eens hoe je gewoon moet bidden. Mama beweert dat dat gewoon praten is tegen de kracht in jezelf. Of misschien ook wel tegen krachten buiten jezelf.
Mia heeft ook een soort gebeden gedaan. Buiten, in de natuur, maar ook thuis bij een zelfgemaakt altaartje. Dat was toen ze bij een heksenclubje zat. Ze heeft me daar iets over verteld. Dan moet je eerst de 'wachters van de vier windrichtingen' aanroepen, die je vervolgens bijstaan in je rituelen (er zijn dus mensen die daarin geloven). Maar dat is een heel gedoe, Mia was er te lui voor, zei ze. Ik moest ontzettend lachen toen ze me vertelde dat ze, als ze in haar eentje een ritueeltje deed, gewoon 'Kom maar effe!' riep, in plaats van al die teksten op te zeggen. Dat vond ik heel grappig. Als het zou bestaan, zou Mia lid zijn van het Luieheksen-gilde, zei ze. Misschien moeten we dat samen gaan oprichten.
Na opa's begrafenis is Mia weer teruggegaan naar Londen. Jammer. Emma is mijn beste vriendin, maar toch durf ik met haar niet over alles te praten. Met Mia wel...

15

'Dus jullie denken hersens genoeg te hebben om de havo te doen?' Meneer Kot kijkt geringschattend de klas rond. 'Sommigen van jullie zouden beter af zijn op het vmbo.'

De leraar laat zijn ijskoude blik op Brid rusten, die net een knetterfout antwoord heeft gegeven, terwijl ze dacht dat ze de som goed had begrepen.

Brid kijkt strak terug, ze vertrekt geen spier. Háár zal hij niet aan het huilen maken, geen denken aan.

'Dus, mevrouw Ko-per-draad,' zegt hij tergend langzaam. 'Wanneer denkt u dat u een keer uw best gaat doen voor wiskunde?' Hij kijkt haar met een minachtend, bijna vuil lachje aan.

Gatver, wat gruwt ze van hem. Nogal logisch dat zijn bijnaam Kots is. Wat een ongelofelijke creep is die man toch.

Toch blijft Brid hem onbewogen aankijken. Ze zwijgt.

Mij krijgt hij niet klein.

'Bent u uw stem verloren?' Kot heeft ook nog eens de irritante gewoonte om zijn leerlingen met 'u' aan te spreken – tenminste, als hij in een bepaalde bui is. Zoals nu.

Van opzij voelt Brid Emma naar haar kijken. Een kort moment kijkt Brid haar aan. In Emma's ogen kan ze lezen dat ze popelt om zich ermee te bemoeien. Maar Brid schudt bijna onmerkbaar haar hoofd.

Niet doen, even niets zeggen...

Brid weet niet waarom ze dit denkt. Normaal gesproken vindt ze het juist stoer als Emma haar mond opentrekt en dingen zegt die Brid nog in geen honderdduizend jaar ooit zou durven zeggen.

Haar blik wordt weer naar Kot getrokken, die haar zwijgend aankijkt.

Shit!

Haar adem stokt. Ze knippert met haar ogen. Het gaat niet weg...

Dit keer is het een ondefinieerbare kleur. Een beetje bruingeel, met wat groen erdoor.

De aura van Kot bezorgt haar een naar gevoel in haar maagstreek.

Menno, die schuin voor Brid zit, draait zich even naar haar om en geeft haar een bemoedigende knipoog.

Brid glimlacht ongemakkelijk terug. Hij moest eens weten wat ik zie, denkt ze.

'Dus u hebt meer belangstelling voor jongens dan voor wiskunde, begrijp ik?' klinkt de kleinerende stem van Kot weer. 'Daar zult u het ver mee schoppen.'

Plotseling maakt zijn minachtende blik haar kwaad en opstandig.

Wat denkt die man wel om mensen zo te kleineren? Wat een eng, gefrustreerd, poepkleurig rotkereltje is het!

De knipoog die Menno haar zo-even gaf, lijkt Brid met terugwerkende kracht vleugels te geven. Ze blijft Kot niet alleen strak aankijken, maar geheel tegen haar gewoonte in opent ze zelfs haar mond om iets terug te zeggen.

'Met het beroep dat ik ga doen, heb ik geen wiskunde

nodig, menéér Kot,' zegt ze onverwacht fel. 'Dus maakt u zich vooràl geen zorgen over mij.' De woorden stromen als vanzelf uit haar mond, ze schrikt er zelf bijna van.

Emma laat haar mond verbaasd een stukje openzakken. Ook haar klasgenoten kijken Brid met grote ogen aan. Niemand durft iets te zeggen, zelfs Emma niet.

'Dacht u dat ik me zorgen om u maakte?' zegt Kot smalend. Met samengeknepen ogen kijkt hij Brid aan.

'Nou, dat zou zomaar kunnen,' antwoordt Brid overmoedig.

De bruingelige kleur om het hoofd van Kot verandert langzaam in een donkerrode wolk.

Brid houdt haar adem in.

Hij is helemaal niet zo rustig als hij ons wil doen geloven. Hij is niet rustig, hij is woest...

De rode wolk begint sneller om zijn hoofd te cirkelen.

Even voelt Brid haar maag samenkrimpen.

'En wat voor beroep wil mevrouw dan gaan doen waarvoor ze denkt geen wiskunde nodig te hebben?' gaat Kot door. Zijn stem klinkt scherp.

Het is doodstil in de klas. Het komt niet vaak voor dat iemand het tegen Kot durft op te nemen. Zelfs sommige van zijn collega's schijnen hem uit de weg te gaan. Hoe hij zijn baan al die jaren heeft weten te behouden, is voor iedereen een raadsel.

Maar dat zal niet lang meer duren...

De gedachte flitst als een bliksemschicht door Brids hoofd. Ze heeft geen idee waar die vandaan komt of hoe ze hem weer weg kan denken.

Ze knippert weer met haar ogen. De aura van Kot verdwijnt, maar maakt plaats voor een beeld in haar hoofd.

Kot.

Een vrouw.

Een mooie jonge vrouw, met lang kastanjebruin haar.

Ze ziet er ziek uit...

Brids hart begint sneller te kloppen.

'Ik vroeg u wat,' klinkt de stem van Kot weer.

'Ik word heks,' hoort Brid zichzelf ineens zeggen, alsof ze ook nu geen controle heeft over haar woorden. 'En als dat niet lukt, word ik paaldanseres,' vervolgt ze. Haar stem klinkt kalm, maar vanbinnen tollen haar gedachten als een draaimolen door haar hoofd. *Paaldanseres, heks – hoe kom ik hier in godsnaam bij? Waarom zeg ik dit allemaal? Ik wil filosofie gaan studeren, niet halfnaakt om een paal hangen!*

Ze schaamt zich kapot en kan wel door de grond zakken. Maar tot haar verbazing klinkt er een goedkeurend rumoer door de klas. Alsof haar klasgenoten er nog lang geen genoeg van hebben en dolgraag willen dat ze nog even doorgaat.

Emma stoot Brid zachtjes aan. 'Go, girl...' fluistert ze bijna onhoorbaar.

'Of allebei – een paaldansende heks!' bemoeit Youri zich er ineens brutaal tegenaan. Brid is een tijdje verliefd op hem geweest, maar sinds ze gevoelens heeft voor Menno, snapt ze niet hoe ze ooit op Youri heeft kunnen vallen. Hij heeft altijd een grote bek, van het soort waar Brid helemaal niet van houdt. Het soort grote bek dat ze tot haar grote schrik ineens zelf heeft...

De ogen van Kot schieten vuur. Woedend kijkt hij Youri aan.

'Zit u mij voor de gek te houden?!' richt hij zich weer tot Brid.

Langzaam schudt Brid haar hoofd. 'Ik ben bloedserieus...'

zegt ze, terwijl ze eigenlijk iets heel anders had willen zeggen ('Sorry, pardon, dat had ik niet moeten zeggen, ik flapte er maar wat uit', dat soort dingen.)

En in plaats daarvan zeg ik dat ik bloedserieus ben... en...

Brid trekt wit weg. Maar haar mond blijkt opnieuw sneller dan haar gedachten.

'Ja,' zegt ze, 'misschien wel allebei. Goed idee van Youri. Allebei parttime, dan blijft het leuk.'

Kot hapt naar adem.

Dan beseft Brid ineens waarom Kot zich hier extra boos over maakt. Hij schijnt streng gereformeerd te zijn: hekserij is voor hem natuurlijk duivels. En paaldansen al helemaal!

Flits.

Opnieuw het beeld.

De jonge vrouw met het lange kastanjebruine haar.

Het gaat niet goed met haar.

Helemaal niet goed...

Brid voelt een steek in haar borst. En opeens, alsof er een dakluik wordt opengetrokken, waardoor er in één keer een straal fel licht naar binnen schiet, kan ze in Kot geen boze leraar meer zien. Van het ene op het andere moment ziet ze alleen nog maar een kwetsbare, wanhopige man...

De schrik slaat Brid om het hart. Wat heeft ze in vredesnaam allemaal gezegd?

O, nee...

Sprakeloos staart Kot haar aan, zijn mond een stukje open, waardoor zijn vergeelde rokersgebit voor iedereen te zien is.

Even sluit Brid haar ogen. Ze ademt diep in en uit, en kijkt hem dan strak aan.

Dan zegt ze, bijna fluisterend: 'Sorry, maar... is uw vrouw misschien ziek?' Ze meent het oprecht, maar na wat ze net allemaal heeft gezegd, vat niemand dat natuurlijk zo op.

Ook Kot niet.

'Brid kan haar wel beter maken!' roept Youri brutaal. 'Met heksenmiddeltjes!'

De donkerrode wolk die om Kot heen hing, lijkt zijn lichaam binnen te dringen en zich te verspreiden over zijn hele gezicht, tot diep in zijn hals.

Nu weet Brid het zeker: het is geen woede, het is angst... Haar mond voelt ineens gortdroog. Ze is te ver gegaan, veel te ver...

Met een klap smijt Kot zijn lesboek op het bureau. 'Eruit!' brult hij. 'Eruit, allebei!' Met een priemende vinger wijst hij naar Brid en Youri, en dan naar de deur.

'Maar...' zegt Brid.

'Maar...' zegt ook Youri.

'Eruit, nu!'

Met trillende knieën staat Brid op en stopt haar spullen in haar tas.

De vrouw is ziek en hij is daar kapot van...

Dan dringt het plotseling tot haar door.

Shit, het is wel een vrouw, maar niet zíjn vrouw...

Met grote, stoere passen loopt Youri achter Brid aan de klas uit.

'Cool wat je allemaal zei,' zegt hij vol bewondering, nadat hij de deur met een klap achter zich heeft dichtgeslagen.

'Er is niks cools aan,' reageert Brid kortaf. 'Ik had het nooit moeten doen...'

'Tuurlijk wel, je zette hem totaal voor schut!' roept Youri verbaasd uit. 'Niemand durft dat bij Kot!'

Brid haalt haar schouders op. 'Maar dat komt...' Ze maakt haar zin niet af. Ze weet niet wat ze moet zeggen.

'Nou?'

'Niks,' zegt Brid. Ze heeft al te veel gezegd. Kot is niet alleen een gefrustreerd mannetje, hij is ook bang. Veel banger dan iemand ooit zal weten.

Behalve ik.

Er laait ineens een onverwachte woede in haar op. 'Shit, shit, shit!' roept ze, terwijl ze met de neus van haar laars tegen de muur schopt. Ze baalt ervan dat ze dingen kan zien die niemand anders ziet. Ze baalt ervan dat ze een leraar niet net als iedereen gewoon een eikel kan vinden. In plaats daarvan krijgt zij een kijkje in zijn ziel, zodat ze medelijden met hem krijgt. Gatverdamme!

'Lieve Brid, het is niet anders,' klinkt ineens opa's stem in haar hoofd. *'Het is een familieding. Je oma had het, je overgrootmoeder, Mia...'*

Brid blijft doodstil staan. Geschrokken kijkt ze om zich heen. Nu heeft ze opa's stem na zijn overlijden al zo vaak gehoord en nog steeds snapt ze niet dat niemand anders hem kan horen. Intussen staat Youri haar verwonderd aan te kijken.

'Wat is er met jou aan de hand?'

Brid klemt haar lippen op elkaar, de tranen schieten in haar ogen. Geen doorsneemeisje, dat wil ik niet zijn, denkt ze krampachtig. Ik wil gewóón zijn. Maar dat kan ze niet zeggen. Ze kan geen woord uitbrengen.

Een golf van misselijkheid slaat door haar heen. 'Sorry...' zegt ze en ze rent naar de wc.

'Wat bezielde jou nou?' vraagt Emma als ze elkaar na de les treffen. Aan haar gezicht valt duidelijk af te lezen dat ze apetrots is dat haar vriendin haar mond heeft durven opentrekken.

Maar Brid is het tegenovergestelde van trots. Ze zucht en schudt langzaam haar hoofd. Ze zou niet weten hoe ze dit aan wie dan ook moest vertellen: de flitsen, de kleuren, de beelden. Iedereen zou haar vast voor gek verklaren.

Misschien klopte er wel geen bal van wat ik zag, probeert ze zichzelf gerust te stellen. Misschien was het allemaal verbeelding... Maar als ze denkt aan de vrouw met het lange bruine haar, voelt ze rillingen langs haar ruggengraat. Het was geen verbeelding. Het is echt.

'Ik heb geen idee...' antwoordt ze ontwijkend op Emma's vraag. Ze voelt zich kwetsbaar, kwetsbaarder dan ooit.

Tot overmaat van ramp komt ook Menno nog naast haar staan. Alsof ze zich niet al kwetsbaar genoeg voelt. Ze probeert zijn blik te ontwijken, maar het lukt niet.

'Wat zei jij ineens rare dingen,' valt hij met de deur in huis.

Brids hart krimpt ineen. Ze slaat haar ogen neer.

Nu vindt hij me natuurlijk helemaal stom.

Als ze haar ogen onwillekeurig toch weer naar hem opslaat, wordt ze gevangen in zijn blik.

'Ik vond het wel stoer van je, daar niet van,' vervolgt hij, 'maar het is niks voor jou...'

Hij heeft gelijk, Brid trekt haar mond niet zo gauw open, ze is altijd meer een toeschouwer dan een deelnemer.

Ze haalt haar schouders op. 'Ach, ik zei maar wat,' reageert ze ontwijkend.

'Volgens mij niet,' zegt Menno onverwacht scherp. Hij kijkt Brid onderzoekend aan. Zijn ogen lijken met de dag blauwer te worden. 'Je keek behoorlijk serieus toen je vroeg of zijn vrouw ziek was. Griezelig serieus.'

Brid fronst haar wenkbrauwen. 'Hoezo griezelig?'

Menno aarzelt. 'Het leek wel alsof je een spook zag of zo.'

'Het schoolspook,' probeert Brid er met een flauw grapje onderuit te komen.

Emma schiet in de lach, maar Menno blijft serieus. 'Ja, klets maar lekker. Ik heb jou nog nooit zómaar iets horen zeggen.' Hij zwijgt even. 'Dus leg eens uit?'

Brid bijt op haar lip.

Menno's helderblauwe ogen blijven pijnlijk lang op haar rusten.

Niet doen, ik verdrink...

Brids hart gaat tekeer. Ze wendt haar blik af en rommelt wat in haar tas, alsof ze naar iets op zoek is.

'Zoek je een antwoord?' zegt Menno ad rem. 'Dat zit heus niet in je tas, hoor.'

Brid lacht.

'Moet je de volgende keer tegen Kot zeggen,' zegt Emma grinnikend, 'dat je antwoord in je tas zit en dat je het even moet zoeken.'

Brid hangt haar tas weer over haar schouder en kijkt Menno ernstig aan. 'Ik heb even geen antwoord voor je. Misschien later.'

'Met misschien neem ik geen genoegen,' zegt Menno gespeeld hooghartig. Dan grijnst hij. 'Maar later is oké.'

16

15 september 1938

Beste vader en moeder,

Een bericht vanuit kostschool. Jammer dat ik na de vakantie weer weg moest. Ik vond het thuis fijner. De fraters zijn zó streng! Ik kan nog steeds niet begrijpen waarom we niet mogen praten op de gang en waarom we nooit mogen spelen. Gelukkig heb ik een nieuwe vrind. We maken soms getweeën onze sommen. Maar laatst werden we een keer uit elkander geplaatst omdat ze vonden dat we te vaak samen waren. Ik snap niet wat daar verkeerd aan is...
Ik mis u en broer Jaap wel. En zus Maria zie ik ook al niet, want wij mogen niet op de meisjeskostschool komen. Moeder, ik hoop dat u heden weer in een betere gezondheid verkeert. Vader, ik hoop dat het goed gaat op school.

De allerbeste wensen van uw Frans

'Waarom moest opa eigenlijk naar kostschool, mam?' Met een van opa's brieven voor haar neus zit Brid naast haar moeder aan de keukentafel.

Helena, Ray en Frans zijn opa's huis aan het leeghalen. Ze bewaren lang niet alles, maar zo nu en dan nemen ze iets mee. Dit keer een paar dozen serviesgoed en wat spullen uit de hutkoffer. Ook de brieven die opa vanuit kostschool heeft geschreven, zitten erbij.

'Tja, dat heb ik me ook altijd afgevraagd,' antwoordt Helena. 'Frans denkt dat het was omdat opa's moeder, jouw overgrootmoeder dus, ziekelijk was en zijn vader door zijn baan als hoofdonderwijzer niet voor drie kinderen kon zorgen. Daarom zijn opa en zijn iets oudere zusje naar kostschool gestuurd. Toen hadden ze alleen de oudste zoon, Jaap, nog thuis. Dat konden ze nog net aan.'

'Maar opa was nog zo klein...'

'Ja, acht jaar pas.' Helena zucht. 'Daar is die hutkoffer van. Ik vraag me wel eens af wat voor spullen daar dan in zaten, want zoveel geld hadden ze niet. "Een hutkoffer met een pyjamaatje en een beer erin," zei Frans laatst. Dat vind ik zo'n verdrietig idee...'

In een melodramatische speelfilm zou het plaatje bij die woorden in haar hoofd niet misstaan: een klein jongetje in een gestreepte pyjama en op blote voeten in een lange, koude lege gang. Een beer bungelend in zijn hand...

Ineens schiet Helena in een nerveuze lach. 'Ik ben er wel eens over begonnen, maar pas later, toen opa al met oma Mies was. Opa wilde liever niet over die kostschooltijd praten, dat merkte je aan alles. Maar toen ik er die keer iets over vroeg, zei oma Mies wat al te luchtig: "Ach, jongens, dat was allemaal vroeger. Vroeger is geweest en nu hebben we het gezellig, toch?" Toen ging ze met een schaal zoutjes rond, alsof het verleden domweg niet bestond en alsof met een handje chips de hele boel kon worden afgedaan. Opa leek opgelucht dat oma Mies mijn vraag wegwuifde, maar ik zag dat hij net iets te snel een slokje nam van zijn glaasje port. Alsof hij de nare herinneringen die kwamen bovendrijven meteen wilde wegspoelen.' Helena zucht. 'Ik heb er nu best spijt van dat ik nooit heb doorgevraagd. Hij heeft tenslotte in zijn schooltijd ook nog eens de oorlog meegemaakt. Dat moet toch verschrikkelijk zijn geweest. Ik had zó veel meer van hem willen weten...'

'Ik ook,' zegt Brid. Ze slaat een arm om haar moeder heen. 'Dus ik moet op tijd zijn met vragen stellen over jouw jeugd.'

Helena grinnikt. 'Die was een stuk beter dan die van opa, maar op de middelbare school les krijgen van je eigen vader is ook niet alles.'

'Brr...' zegt Brid. Ze moet er niet aan denken om les te krijgen van Ray – tenminste, niet op school. Fotograferen zou ze misschien nog wel eens van hem willen leren. En beelden van koperdraad maken ook wel. Maar dan in zijn atelier, privé, niet op school. Ze zou zich kapot schamen.

Brid draait de brief van opa rond in haar hand. 'Brr...' zegt ze weer. 'Kostschool...'

'School sowiesó...' zegt Helena. Ze trekt haar schouders op en knijpt haar ogen even stijf dicht.

Brid schiet in de lach. 'Je moet me niet negatief beïnvloeden, hoor. Ik moet nog drie jaar.'

'Een school midden in de stad,' werpt Helena tegen. 'En een ge-wel-dig stel ouders van wie je altijd alles mag,' overdrijft ze. 'Jij hebt niets te klagen.'

'Dus ik mag tot het eind op het schoolfeest blijven?'

vraagt Brid, meteen van de gelegenheid gebruikmakend.
Helena staat op. 'Dat zien we dan wel weer.'

Ik verheug me op het schoolfeest. Het is op een boot die achter het Centraal Station ligt. We gaan een stuk varen en dan komen we om een uur of één 's nachts weer terug. Het feest duurt dan nog tot twee uur.
Ray en Helena willen me om één uur al ophalen. Nou, mooi niet! Ik blijf écht wel tot het eind! Emma mag dat ook (maar waarschijnlijk is dat omdat ik gezegd heb dat ik dat ook mocht). Tot hoe laat zou Menno mogen? Ach, waarom zou dat me wat kunnen schelen? Hij vindt Kim toch leuker dan mij... Hoewel het erop lijkt dat Kim Youri nu leuker vindt: ze zit irritant vaak met hem te flirten.
Ben ik nog wel op Menno? Ik vind hem supersuperleuk, maar soms weet ik niet zo goed wat dat is, verliefd (misschien ben ik wel net als mijn overgrootmoeder en heb ik meer tijd nodig om erover na te denken...).
Opa's huis wordt nu trouwens leeggehaald. Wat een werk is dat. Oma Mies mocht ook dingen meenemen, maar ze wilde bijna niks hebben. Ze heeft al genoeg spullen in haar eigen flat, waar ze nu weer woont. En de broer en zus van opa zijn allang dood, die hebben ook niks meer nodig...
Ik hoop niet dat iemand de hutkoffer wil, want die wil ik. Ik vind het een mooie herinnering aan opa. Zijn naam staat erop: Frans H.M. de Lange. Oom Frans heet bijna hetzelfde, maar dan zonder de M van Maria. Ik snap niet waarom vroeger jongens ook Maria konden heten. Dat is toch een meisjesnaam? Maar opa zal het niet erg gevonden hebben. Hij was er niet alleen aan gewend, maar hij geloofde ook heilig in Maria.

Het is denk ik best lekker om in zo iemand te geloven. Doodgaan is dan minder eng, omdat je weet dat je ergens naartoe gaat. Hoewel ik niet weet of je daarvoor per se in een god moet geloven. Ik weet nog niet of ik in God geloof, maar ik weet nog wel waar ik vandaan kwam, en ik denk dat ik naar dezelfde plek terugga als ik dood ben. Maar ja, dat weet ik waarschijnlijk ook pas écht zeker als ik daar weer ben...

17

Zwijgend zitten Brid en Emma naast elkaar hun huiswerk te maken.

Brid is het Franse boekje *Le Petit Prince* aan het lezen. Natuurlijk wel met de Nederlandse vertaling ernaast, want anders zou het veel te moeilijk zijn voor een tweedeklasser, zelfs al heeft ze een talenknobbel. *De Kleine Prins* gaat over een jongen die tussen de sterren reist, en Brid is nu bij de passage dat hij op aarde een vos tegenkomt die graag tam gemaakt wil worden. Maar de kleine prins heeft daar geen tijd voor, zegt hij, want hij wil nieuwe vrienden maken en nieuwe dingen leren kennen. De vos wordt hier een beetje boos van. Mensen nemen helemaal geen tijd meer om echte vrienden te maken, vindt hij. Omdat alles kant-en-klaar in winkels ligt en er geen winkels zijn die vrienden verkopen, hebben mensen geen vrienden meer. 'Dus als je een vriend wilt, maak mij dan tam...' smeekt de vos.

Brid kijkt weg van haar boek. Ze moet denken aan wat opa een keer zei over de moderne tijd, waarin hij vriendschappen steeds oppervlakkiger vond worden. Hij moest niets hebben van computers en mobiele telefoons en dingen als e-mail, sms en msn. Ze kan zich zijn woorden nog precies herinneren: 'Vroeger was die onzin er allemaal nog niet. Vroeger schreef je elkaar nog een persoonlijke, handgeschreven brief. Vroeger praatte je niet met elkaar via een beeldscherm, maar zocht je elkaar gewoon op.'

Ja, vroeger was alles beter, had Brid willen zeggen. Vroeger werd je in je eentje naar kostschool gestuurd en was je samen met andere kinderen hartstikke alleen...

Natuurlijk had ze dat niet hardop gezegd. Opa kwam uit een heel andere tijd. Een tijd waarin nog lang niet iedereen telefoon had.

Brid kan zich met de beste wil van de wereld niet voorstellen dat ze niet altijd en overal contact met mensen zou kunnen leggen, al was het met een simpel sms'je. Ze is blij dat er geen tijdmachines bestaan waarmee je naar het verleden geflitst kan worden, naar een tijd waarin er alleen in de woonkamer een kolenkachel stond en het in de rest van het huis zo koud was dat de ramen bedekt waren met ijsbloemen. Helena had laatst nog gezegd dat de kinderen van tegenwoordig waarschijnlijk niet eens meer weten wat dat zijn, ijsbloemen, en dat zij er in haar jeugd heel wat met haar adem had weggesmolten.

Opa komt ook uit de tijd van de ijsbloemen, denkt Brid. Op kostschool heeft ook hij er vast heel wat weggesmolten, zodat hij weer naar de wereld buiten de schoolmuren kon kijken...

Brid had de brieven die opa vanuit kostschool had gestuurd nog een paar keer doorgelezen. Korte briefjes waren het, waarin hij schreef wat voor cijfers hij had gehaald, of dat hij een nieuwe schoolvriend had. Maar uit niks kon ze opmaken dat hij eenzaam was, of dat hij op een grote slaapzaal stiekem had liggen huilen. Met een beer in zijn armen die – zo had opa in een onverwacht open bui ooit een keertje bekend – toen hij tien was door de school van hem werd afgepakt, omdat 'jongens van tien te oud zijn om nog met een beer te slapen'. Hoewel ze wist dat het geen zin had, kon Brid daar nog altijd verdrietig om worden.

Even staart ze met een vertederde glimlach om haar lippen voor zich uit. 'Gedane zaken nemen geen keer,' zou opa zeggen...

'Hé, ik praatte tegen je,' klinkt Emma's stem in haar oor. Brid voelt een por tegen haar arm.

'Huh?' Brid kijkt haar afwezig aan. 'Zei je iets?'

Emma heft haar armen in de lucht. 'Waar bén jij met je gedachten? Soms lijkt het wel of je op een andere planeet zit.'

Brid lacht. 'Dat zat ik ook.' Ze wijst naar het boekje voor haar neus. 'Op de planeet van de kleine prins.'

Emma slaakt een diepe zucht. 'Dat je daar zin in hebt, om dat in het Frans te lezen.'

'Dat jij er zin in hebt om wiskundesommen te maken,' kaatst Brid terug, terwijl ze knikt naar Emma's wiskundeboek. Ze kijkt haar vriendin van opzij aan. 'Maar wat wilde je nou net tegen me zeggen?'

'Ik vroeg me ineens af of jij gelooft dat God bestaat.'

'God?' reageert Brid luchtig, terwijl ze haar flesje water oppakt. 'Wie is dat?'

Emma geeft Brid een por. 'Effe serieus.'

'Dat ben ik ook,' zegt Brid. 'Ik ben nog nooit zo serieus geweest.'

Met een schok realiseert Brid zich dat ze dat nog meent ook. Ze weet écht niet wie of wat God is...

Ze neemt een slok. 'Snap jij dan wie God is?'

Emma haalt haar schouders op. 'Weet ik veel. Maar er zijn zoveel mensen die in zoiets geloven, dan moet er toch wel íéts van waar zijn?'

Brid drinkt haar flesje leeg en zet het op haar bureau. Ze kijkt Emma aan. 'Waarom vroeg je dat eigenlijk?'

'Nou, omdat jouw opa begraven is in de kerk en je opa en oma in God en Maria en zo geloofden. Dus ineens vroeg ik me af of ergens in geloven besmettelijk zou zijn.'

Brid schiet in de lach. 'Is het ook besmettelijk dat jouw ouders knettergek zijn van de Beatles?'

'Ha ha! Nou, niet bepaald.' Emma trekt haar neus op. Zij houdt niet van de Beatles, weet Brid, ze vindt ze zelfs verschrikkelijk. En dat terwijl Emma's ouders hun oude Beatles-elpees nog steeds grijsdraaien.

Emma leunt achterover in haar stoel. 'Ik vraag me af wanneer Kot terugkomt.'

Brid trekt haar wenkbrauwen op. 'Hoe kom je dáár nou weer op?'

Een paar dagen nadat Brid en Youri de klas uit waren gestuurd, was Kot opeens van school weggebleven. 'Voor onbepaalde tijd afwezig', was de mededeling van hun mentor geweest. Brid had daar zo haar eigen gedachten over, ook al deelde ze die met niemand...

'Nou, omdat Kot ook heel gelovig is,' antwoordt Emma. 'Dus moest ik ineens aan hem denken.'

Brid fronst haar wenkbrauwen. 'Kun je niet aan een leuker iemand denken?'

‘Ik denk altijd aan Kot,’ zegt Emma met een quasizwijmelende blik. ‘Ik ben stapelverliefd op hem...’

Ze beginnen allebei te schateren.

‘Gatver,’ gruwt Emma dan. ‘Ik kan me niet voorstellen dat er ook maar één vrouw verliefd zou kunnen worden op die creep.’

‘Het is zijn vrouw anders wel gelukt,’ reageert Brid nuchter. ‘En zijn minnares ook,’ flapt ze er zomaar uit. Geschrokken slaat ze een hand voor haar mond. Ze had het alleen willen dénken, niet hardop willen zeggen!

Met grote ogen staart Emma haar aan. ‘Minnares?

Brid bijt op haar lip. Ze had het aan niemand verteld, haar visioen van de jonge vrouw met het lange bruine haar. De zieke jonge vrouw...

Brid kan Kot missen als kiespijn, maar ze kan het toch niet helpen dat ze zo nu en dan aan hem moet denken.

Ze hadden nu een invaller voor wiskunde – een student nog, een ontzettend lekker ding bij wie Brid de sommen ineens beter snapte – maar dat nam niet weg dat de gedachte aan Kot toch regelmatig in haar opkwam. Waarbij ze zijn angst overduidelijk voelde.

Angst voor zichzelf, en voor de liefde...

Emma stoot haar vriendin met een nieuwsgierige blik aan. ‘Weet jij iets wat ik niet weet?’

Brid aarzelt. Ze zou het zo graag aan Emma willen vertellen. Maar zou ze haar dan niet voor gek verklaren? Zou Emma haar vriendin dan nog wel willen zijn? Brid heeft het nog niet gedacht, of daar klinkt opa’s stem: *‘Vertel het nou maar, Brid.’*

Brid schrikt op. Ze heeft opa al een tijdje niet gehoord. De laatste keer was toen ze eruit was gestuurd door Kot, en had moeten overgeven op de wc. Toen opa haar stilletjes had ingefluisterd dat Kot het niet zo kwaad bedoelde. Dat hij alleen maar bang was. Bang voor zichzelf. En voor de liefde...

Brid wacht gespannen af. Maar opa's stem is weer weg.

Vertel het nou maar, Brid... Zijn woorden galmen nog na in haar hoofd. Even sluit ze haar ogen. Dan haalt ze diep adem en kijkt ze Emma ernstig aan.

'Je moet beloven dat je dit aan niemand vertelt. Echt aan niemand. Staatsgeheim!'

Emma grinnikt en steekt haar hand op. 'Ik zweer het. Op de bijbel.'

Brid vertrekt haar gezicht in een grijns. Dan zucht ze. 'Het heeft niet alleen met Kot te maken, weet je. Ook met mij...'

Emma trekt haar wenkbrauwen op. 'Kot en jij?' Ze proest het uit.

'Nee, niet Kot en ik,' reageert Brid geïrriteerd. 'Jeetje, hoe moet ik dit nou uitleggen?'

'Als je eens begint bij het begin,' stelt Emma voor.

Brid trekt haar knieën op en slaat haar armen eromheen. 'Bij het begin, dat is dus vóórdat ik werd geboren...'

Met stijgende verbazing hoort Emma Brid aan. Over Brids herinneringen aan de warme, lichte plek waar ze was voordat ze naar Helena's buik verhuisde. Dat ze even schrok van hoe donker het daar was, maar toen in een soort droomwereld verzeild raakte. Dat ze opnieuw schrok toen ze werd geboren, omdat het toen ineens heel licht was.

En koud.

Maar dat Helena's warme handen en geruststellende stem veel goed maakten. Helena's stem, resonerend in de verte, en waaraan ze al die maanden in Helena's buik gehecht was geraakt.

Ook vertelt ze Emma over de groene ogen van oma die in haar wieg keken en die haar zonder woorden een verhaal vertelden. En over de lichtflitsen, de aura's, de kleuren tussen mensen, de visioenen. Over haar opa's stem nadat hij was overleden en het visioen van de vrouw met het lange bruine haar. Over de aura van Kot, en zijn angst...

Brid praat achter elkaar door, alsof er een kurk van een champagnefles is getrokken en de woorden in één keer bruisend tevoorschijn komen.

Ze vertelt wat er in flarden voorbij komt en wat haar nu het belangrijkste lijkt.

Genoeg om me voor gek te verklaren...

'Jeetje,' zegt Emma zachtjes als Brid stilvalt, 'en niemand weet hier iets van, ook je ouders niet?'

'Mia weet het. En opa.'

'Maar je opa is dood.'

'Ja, en hij weet het ook allemaal pas sinds hij dood is.' Toen hij leefde, wilde hij het niet weten, denkt ze er stiekem achteraan. De mobiele telefoon was hem al te veel.

Emma is even stil. Dan fronst ze haar voorhoofd en knikt. 'Interessant...'

Stomverbaasd kijkt Brid haar aan. Emma velt geen oordeel, ze trekt niet eens een ongelovige blik.

Brid had altijd gedacht dat Emma te nuchter zou zijn om het te begrijpen. Of erger: dat ze er bang voor zou zijn. En dat ze dus bang zou zijn voor Brid...

'Maar waarom weten je ouders er dan niks van?' vraagt Emma door. 'Ze zullen je heus wel geloven, hoor.'

'Daar gaat het niet om. Het is meer...' Brid kijkt peinzend voor zich uit. 'Het is denk ik meer dat ik dingen graag voor mezelf hou, dat ik geen behoefte heb om alles aan iedereen te vertellen. Ik vind het eigenlijk wel fijn, mijn eigen wereld...'

'Maar je óúders, dat is toch iets anders?'

'Pff, niet met Ray. Die gelooft nergens in en is altijd overal sceptisch over.'

Plotseling komt er een herinnering naar boven drijven, eentje die ze nog nooit eerder heeft gehad. Ze moet een jaar of vier geweest zijn.

Ray met een krant op de stenen rand van de grote zandbak in het park. Ik erin, met een schepje en een emmertje. Aan de overkant een mevrouw met lang blond haar, in een spijkerbroek en een witte bloes. Ze kijkt onze kant op. Ineens krijgt ze een soort roze wolk om haar hoofd. Ik stoot Ray aan en wijs. Ik zeg iets over die roze mevrouw. 'Die mevrouw is niet roze,' zegt hij streng. En dan iets over dat ik niet mag wijzen. Hij verstopt zich weer achter zijn krant. Maar hij leest niet, hij doet alsof...

Brid knippert met haar ogen. Het visioen is weer weg.

'Wat is er?' vraagt Emma.

Langzaam schudt Brid haar hoofd. 'Soms zie ik dingen.' Dan herstelt ze zich. Met een plotselinge beweging staat ze op. Ze heeft er genoeg van, haar hoofd zit te vol.

'Ik wil er nu niet meer over praten,' zegt ze beslist.

Gelukkig vraagt Emma niet door. Als Brid zegt dat ze ergens niet over wil praten, dan doet ze dat ook niet. Zelfs niet met haar beste vriendin.

Emma staat ook op en slaat een arm om Brid heen. 'Ik ben superblij dat je me dit hebt verteld. Ik beloof je dat ik het niet verder zal vertellen.' Met haar hand maakt ze een beweging alsof ze haar mond op slot draait en het sleuteltje weggooit. *'My lips are sealed.'*

Brid lacht en rekt zich uit.

Emma kijkt op haar horloge. 'Shit, ik moet naar huis! Mijn moeder vermoordt me als ik te laat ben voor het eten!'

Brid staat al bij de voordeur voordat Emma daar is, haar hardloopschoenen in haar hand.

'En jij gaat zeker je hoofd leegmaken?' raadt Emma.

'Yep,' beaamt Brid.

Er zijn veel hardlopers in het park. Ook het jonge stel met de dalmatiër komt voorbij.

Ze groeten.

Maar ook al loopt Brid het hele park rond, degene die ze wil zien komt ze niet tegen.

Alleen die ene keer heeft ze Menno gezien, op de dag van opa's begrafenis.

Met snelle passen loopt Brid een bruggetje op.

Het zou ook wel toevallig zijn als hij nu ook net op hetzelfde moment zou hardlopen... In de meeste gezinnen is het nu eigenlijk etenstijd. Misschien zijn ze bij hem thuis ook wel zo traditioneel dat om zes uur het eten op tafel staat. Zoals bij Emma. Maar dat komt bij hen meer omdat haar vader in de horeca werkt en om zeven uur in het café moet zijn.

Op het bruggetje houdt ze heel even haar pas in en kijkt ze naar de rustig ronddobberende eenden. Ze kwaken haar vrolijk toe. Brid vindt dat altijd een geweldig geluid. Als ze zich ergens zorgen over maakt, hoort ze graag kwakende eenden. Als eenden kwaken, lijkt het net alsof ze je uit zitten te lachen. En daarmee worden Brids gedachten altijd lichter.

Grinnikend loopt ze de brug over.

Het begint te miezeren.

Brid trekt de capuchon van haar sweatshirt over haar hoofd. Op de achtergrond hoort ze de eenden nog kwaken. Hun maakt het niet uit, een beetje water meer of minder. Zij zijn toch al nat.

Brid begint lekker moe te worden, haar ademhaling wordt dieper.

In, uit.

In, uit.

Wat ben ik blij dat ik het Emma heb verteld. En dat ze goed reageerde. Ze keek alsof ze het altijd al en beetje had geweten, maar onbewust, niet met haar hoofd...

Terwijl Brid naar de uitgang van het park loopt, denkt ze aan een stukje uit *De Kleine Prins*, waarin de vos zegt dat je alleen met je hart goed kunt zien en dat voor je ogen veel onzichtbaar is.

Nog één keer kijkt ze goed om zich heen.

Veel mensen.

Heel veel mensen.

Maar geen Menno...

18

Het is zover. Brid mag bij Ray achter op de motor. Ze hebben een helm gekocht die haar precies past, een knalgroene.

'Vroeger droegen de mensen geen helm,' zegt Helena. 'Opa had gewoon een soort pet op.'

'En oma een hoofddoek,' vult Brid aan, die daar wel eens een foto van heeft gezien.

'En nadat Frans geboren was, ging hij in het zijspan,' zegt Helena. 'Samen met oma.'

'Eng, zo dicht bij de grond,' vindt Brid.

Ze zet haar helm op en inspecteert zichzelf in de spiegel. Ze ziet haar gezicht nauwelijks meer. Behalve haar groengrijze ogen, die, geholpen door de zwarte mascara op haar wimpers, nog meer de aandacht lijken te trekken dan anders.

Eenmaal op de motor klemt ze haar armen stevig om Rays middel.

'Klaar?' vraagt Ray.

'Klaar,' zegt Brid.

Brid doet haar ogen dicht. In gedachten ziet ze zichzelf bij Menno achterop, zonder helm, met wapperende haren. Ze houdt haar armen stevig om zijn middel geslagen, haar wang tegen zijn rug gevlijd.

Brid droomt weg.

Hand in hand met Menno.

Zoenen met Menno...

Als ze door een bocht gaan, knijpt Brid haar ogen nog verder dicht. Ray rijdt voorzichtig, maar toch gaan ze een beetje schuin. Het is alsof ze vliegen. Brids adem stokt. Ineens voelt ze zich even heel erg verbonden met opa. Alsof er een onzichtbare draad tussen hen zit, die hen voor altijd verbindt.

Zo moet opa zich ook hebben gevoeld.

Zo vrij als een vogel...

19

Brid opent haar laptop om haar mail te checken. Niet dat ze vaak mail heeft, ze is niet zo'n e-mailer. Ze schrijft wel graag in haar schrift, maar niet via een toetsenbord. Ze chat wel eens, en dat vindt ze dan ook heel leuk, maar het zijn nooit ellenlange sessies. Zoals andere meiden uren kunnen msn'en, schrijft zij liever in haar schrift. Met een van de vulpotloden die ze in alle soorten en kleuren heeft, allemaal met een gummetje bovenop, zodat ze iets kan uitvlakken wanneer ze maar wil.

Onwillekeurig maakt Brid een gedachtesprong naar Emma en ze schiet in de lach; een mooi stel zijn zij samen: zij die liever in een schrift schrijft dan msn't en Emma die het liefst truien breit. Welk meisje van veertien breit tegenwoordig nog truien?

Intussen heeft Brid haar e-mailprogramma geopend. Tot haar grote verrassing heeft ze een mail van Mia.

Aan: Brid
Van: Mia

Hi sweety!

Hoe is het met je? Ik hoop je gauw weer te zien, volgend weekend ben ik weer in Amsterdam! (Papa betaalt, jippie!)
Ik mail je alvast even met wat 'updates' over opa. Ik dacht dat je dat wel leuk zou vinden.
Toen opa net dood was, hadden we het er toch over wat voor iemand hij eigenlijk was? Nu waren we er al achter dat hij een lieve, maar ook strenge en plichtsgetrouwe man was, die alles wilde doen zoals het hoorde, maar dat hij ook erg van zijn vrijheid hield en niet wist hoe gauw hij weg moest komen als het grote vakantie was. Frans en Helena moesten altijd verplicht vijf weken naar Italië. Oma vond dat te lang, maar ze paste zich aan. Frans vond het prima en had niets te klagen. Maar wist je dat Helena na drie weken het liefst naar huis wilde omdat ze heimwee had naar karnemelk en haar fiets? Ik zat vandaag een beetje te chatten met mijn vader en toen vertelde hij me dat. Ik moest er erg om lachen.
En wist jij al dat opa vroeger het liefst had willen emigreren, maar dat hij dat niet heeft gedaan omdat hij het zijn ouders niet wilde aandoen? Arme man, zei papa: zelf al op je achtste weggestuurd worden naar kostschool en het dan je ouders niet willen aandoen om te emigreren! Volgens Frans was dat nog steeds het kleine jongetje in opa dat diep in zijn hart niet bij zijn ouders weg wilde.
En Frans vertelde ook nog dat toen opa en oma alleen nog maar verloofd waren, ze wel al samen naar Frankrijk zijn ge-

weest. Met de motor. Maar omdat ze nog niet getrouwd waren, ging er een zus van oma mee, als chaperonne (in het zijspan)! Lekker romantisch… Ik vraag me af of ze toen evengoed al 'iets' hebben gedaan. Stiekem. Maar Frans denkt dat opa wel wilde, maar dat oma er te preuts, te verlegen, te ouderwets, te bang voor was...

Papa vertelde me trouwens dat jij de hutkoffer mag hebben. Tof!
Waar ga je 'm neerzetten?
Zullen we iets afspreken volgend weekend?

Big kiss,
Mia

Met een zucht leunt Brid achterover. Ze krijgt bijna nooit zo'n lange mail van iemand. En al helemaal niet van Mia.

Ineens mist Brid haar. Ze zijn allebei enig kind. Dat hebben ze nooit erg gevonden, maar nu lijkt het erop of ze allebei behoefte hebben aan een soort 'zusje'.

Net zoals Brid het stoer vond dat ze de laatste keer zo open met elkaar hebben gepraat, vindt ze het nu stoer dat Mia haar zo'n spontane, uitgebreide mail stuurt.

Ze vindt me nu niet meer te klein om dingen met me te delen. Ze vindt me nu oud genoeg.

Mia had dat nog gezegd – toen ze na opa's overlijden op zijn zolder waren – dat een aantal jaren geleden het leeftijdsverschil tussen hen gewoon te groot werd. Dat ze andere dingen aan haar hoofd kreeg. Ze had toen natuurlijk vriendjes, begreep Brid nu. Als je negen bent, denk je daar nog helemaal niet aan. Tenminste, Brid niet.

Maar Mia had ook gezegd dat ze het geweldig vond dat Brid en zij nu als twee echte meiden konden kletsen. Ook omdat ze vond dat Brid veel wijzer was dan veel andere meisjes van veertien.

Brid laat haar rechterhand weer op haar muis rusten en klikt op BEANTWOORDEN:

Aan: Mia
Van: Brid

Hey Mia!

Thanx voor je mailtje!
Ik wist het al, van dat emigreren. Ik vind het knap dat iemand die zo van zijn vrijheid houdt, toch veertig jaar dezelfde baan kan hebben. Veertig jaar lang, vijf dagen per week (vroeger zelfs zes!) naar school! Toch kan Helena zich maar één keertje herinneren dat hij ziek thuis was. Een middagje, omdat hij zwaar verkouden was, in veertig jaar! Ik weet niet hoe hij zo sterk kon zijn. Hij is niet in militaire dienst geweest, vertelde Helena, omdat hij een ons te licht was... Eén ons! Hij woog op zijn achttiende dus nog niet eens vijftig kilo...
Misschien bleef hij wel zo gezond omdat hij tussen de middag altijd een dutje deed, op de bank. Snurkend, met een krant over zijn gezicht.
Ray snurkt ook. Helena zei laatst dat veel vrouwen trouwen met eenzelfde type man als hun vader. Help, een man zoals Ray? Als vader: oké. Als man: no way! (Ha, ha, dat rijmt!)
Weet je trouwens wat Ray heeft gekocht? Een Harley! Dit weekend gaan Helena en hij ermee toeren. Ik hoop voor hen dat het niet

gaat regenen. Heb je misschien zin om dan bij me te komen logeren? Net als vroeger, maar dan zonder bemoeizieke ouders erbij?

Liefs,
Brid

Ze schrikt er zelf bijna van. Ze vraagt Mia zomaar om bij haar te komen logeren. Dat was ze van tevoren helemaal niet van plan. Ze bijt op haar lip. Mia wil waarschijnlijk liever uit en met haar vrienden en vriendinnen feesten in plaats van bij een veertienjarig nichtje te logeren...

Brid denkt aan het gesprek dat ze hadden op zolder, toen opa net dood was. Ze hadden het toen over hekserij gehad. Over dat heksen vroeger wijze vrouwen waren die alles wisten van kruiden, rituelen en bepaalde gebeden, en dat ze mensen daarmee konden genezen. 'In een vorig leven ben ik vast een heks geweest,' zei Mia toen. 'Ik ben dol op magie.'

Precies op dat moment was er iets wonderlijks gebeurd: uit een van de oude boeken van opa die Brid in haar hand had, viel iets dat ze daar nog nooit eerder had gezien: een verlanglijstje van Helena. In een kinderlijk meisjeshandschrift – elke regel in een andere kleur viltstift – stond er:

Lieve Sinterklaas en Zwarte Piet,
IK wil heel graag een boek over heksen. Héél héél graag.
Maar als dat niet Kan, dan graag een boek (of boeken) van Pinkeltje.
Liever geen poppen, die heb ik al genoeg...
Groeten van Helena.

P.S.: Frans heeft zijn eigen verlanglijstje. Hij wil een racebaan.

Stomverbaasd hadden Brid en Mia elkaar aangekeken.

Daarna werden ze geroepen voor de soep en hadden ze hun gesprek niet kunnen voortzetten.

Brid fronst haar voorhoofd. Wat raar dat ze het daar later helemaal niet meer over hebben gehad... Ze wil verder praten met Mia. Over wat zij voelt en denkt. En over hekserij.

Brid zet haar laptop uit, anders gaat ze elke vijf minuten kijken of er al een mailtje terug is. En dat kan niet, want ze moet huiswerk maken. Heel veel.

Té veel.

20

'Hé.'

'Hoi.'

Verlegen naar de grond starend schopt Menno een steentje voor zijn voeten weg. Dan kijkt hij Brid weer aan. 'Wat ga jij doen dit weekend?'

'Mijn nicht komt logeren.'

Ze was ontzettend blij geweest om een mailtje van Mia terug te krijgen waarin stond dat ze dolgraag wilde komen logeren. 'Leuk, net als vroeger, maar dan nog beter,' had ze geschreven. 'Nu kunnen we het echt over alles hebben.' Ook over de liefde, had Brid stiekem gedacht. Ik wil het met Mia ook over de liefde hebben...

'O, jammer,' zegt Menno teleurgesteld. Hij steekt zijn handen in zijn broekzakken. 'Nou ja, wel leuk voor jou natuurlijk,' zegt hij er een beetje stuntelig achteraan, 'maar...'

'Maar?'

Menno haalt zijn schouders op. Ineens wordt hij rood. Hij doet alsof hij moet hoesten en houdt even zijn hand voor zijn mond. 'Ik heb zaterdag een feest,' zegt hij dan snel. 'Ik had je mee willen vragen.'

Met grote ogen kijkt Brid hem aan. Waarom vraagt hij Kim niet, denkt ze. Ze ziet hem toch steeds naar Kim kijken? Of verbeeldt ze zich dat en kijkt Kim eerder naar hém?

Brid raakt in de war van haar eigen gedachten.

'Uh...' stamelt ze. 'Ik, uh...'

Shit! Waarom vraagt hij me nou nét als Mia komt logeren?

'Ik kan echt niet,' zegt ze dan. 'Mijn nichtje woont niet in Amsterdam, weet je, ze woont in Londen.'

'O, oké,' zegt Menno dan. 'Nee, tuurlijk, ik snap het...'

'Heb je binnenkort niet nog een feest?' probeert Brid. Ai, dat klonk wel heel erg wanhopig.

'Weet ik niet,' zegt Menno. Hij kijkt om zich heen.

Ze staan in een hoekje van de fietsenstalling. Er is niemand in de buurt.

Ineens buigt Menno zich naar Brid toe en kust haar. Heel kort. Zijn lippen raken heel even de hare. Hij opent zijn mond niet. Zij ook niet. Het is voorbij voordat ze het in de gaten heeft.

'Ik...' stamelt Brid.

'Sorry...' stamelt Menno terug.

Sorry? Haar hart maakt een sprongetje. Hij is dus niet verliefd op Kim!

Ineens voelt ze zich overmoedig. Zonder er verder over na te denken, gaat ze op haar tenen staan en kust hem nog een keer.

Nu opent ze haar mond.

En hij de zijne.

Hun tongen vinden elkaar.

Onderzoekend, langzaam, voorzichtig.

Brid sluit haar ogen.

Haar hoofd voelt licht. Bijna net zo licht als na een rondje hardlopen.

Zachtjes legt Menno zijn handen om haar gezicht. Zijn kus wordt vuriger.

Hun ademhaling versnelt.

Dan, op precies hetzelfde moment, stoppen ze.

Even blijft Brid stilstaan, dan opent ze haar ogen en kijkt ze hem aan.

Zijn blauwe ogen kijken genadeloos terug.

'Ik...' zegt hij.

Brid legt haar vingers op zijn mond en schudt haar hoofd.

'Niks zeggen...'

Ik was altijd bang dat het tegen zou vallen. Dat ik het misschien wel vies zou vinden. En eng. Dat ik heel verlegen zou zijn.
Maar ik vond het lekker, ik voelde me veilig, niet verlegen.
Ik moest aan oma denken. Helena heeft me verteld dat oma voordat ze met opa trouwde niets met hem heeft gedaan, niet eens zoenen. Dat oma in een boerengezin is opgegroeid, waar ouders hun kinderen niet knuffelden of kusten, niet eens op hun wang... Dat oma stiekem heeft geoefend door kusjes op haar eigen handrug te geven. Arme oma, en dan zo de huwelijksnacht in. Hoewel ik natuurlijk niet weet hoe dat toen ging, en daar moet ik misschien ook wel niks van willen weten...
In vergelijking met oma ben ik er dan nog vroeg bij, maar tegenwoordig ben je laat als je pas op je veertiende voor het eerst zoent. Ik denk dat ik een van de laatsten ben uit mijn klas... Misschien wel dé laatste.
Ik ben blij dat het met Menno was.
Ik ben verliefd op hem, dat weet ik zeker. En ik ben blij

dat ik van hem mijn eerste zoen heb gehad. Ik weet niet of ik het zou kunnen met iemand op wie ik niet verliefd ben. Emma heeft al gezoend op de basisschool. Ook met meisjes. Ik heb dat nooit raar gevonden, mensen moeten zelf weten wat ze doen. Maar zelf wilde ik het niet. Niet met meisjes én niet met jongens.
Tot nu.
Met Menno.
Ik ben dan wel altijd zogenaamd te wijs geweest voor mijn leeftijd, maar niet met alles.
Zeker niet met wiskunde.
En ook niet met jongens...

21

'Gaat-ie?' vraagt Mia.

Brid knikt. Samen tillen ze de hutkoffer naar binnen. Gelukkig heeft Brid een vrij grote kamer en kan ze kiezen waar ze hem wil hebben. Ze kiest voor een plek tegenover haar bed.

Als ze de koffer op zijn plek zetten, grinnikt Mia en zegt ze: 'Zo, meisje, waar gaat de reis naartoe?'

'Níét naar een meisjeskostschool met lange koude gangen en strenge nonnen,' antwoordt Brid meteen.

'Dat lijkt me niet aan te raden, nee,' zegt Ray vanuit de deuropening. Hij heeft samen met Frans de hutkoffer opgehaald en is nu klaar voor zijn romantische motorweekendje met Helena.

Hij loopt op Brid af en geeft haar een kus. 'Ik ga Helena van haar werk ophalen. Redden jullie het dit weekend?' Hij buigt zich naar Mia toe en geeft haar een kus op haar wang.

'Ik zal goed op mijn kleine nichtje passen,' zegt Mia.

'En anders bellen jullie mij maar. Ik ben toch thuis,' zegt Frans. Hij geeft Mia en Brid allebei een knuffel. '*Have fun* en doe geen dingen die ik ook niet zou doen.'

'Nee, wij zullen geen lekkere kerels in huis halen met wie we vroeger in een tentje hebben liggen vozen,' zeg Mia lacherig.

Frans grijnst. Vorig weekend is hij uit geweest met Evelien, zijn vroegere schoolvriendinnetje dat hij op de begrafenis van opa had ontmoet. Mia heeft Brid net al verteld dat Frans haar dat had gemaild. Sinds een paar jaar heeft Mia heel goed contact met haar vader. Ze vertellen elkaar bijna alles.

Dat kun je van mij en Ray niet zeggen, denkt Brid. De laatste tijd is Ray afwezig, meer dan anders. Alsof hij met zijn hoofd op een heel andere plek is dan bij Brid en Helena.

Een geheime plek...

Brid kijkt Frans en Ray na terwijl ze vanuit haar kamer de gang op lopen.

Frans was straalverliefd teruggekomen van zijn afspraakje met Evelien. Dat had hij niet lang geheim kunnen houden. Helena vond het geweldig voor haar broer. 'Frans is geen man om alleen te zijn,' had ze wel eens gezegd. 'Die heeft een vrouw nodig die zijn pantoffels voor hem klaarzet.' Dat was natuurlijk een grapje. Als er íémand op zijn vrijheid is gesteld, dan is het Frans wel. Zijn pantoffels kan hij zelf wel klaarzetten. Maar pantoffels hebben geen armen die je vast kunnen houden, en dat was precies wat hij nodig had, wist Helena, hoe nuchter haar broer ook leek.

Ray lijkt de laatste tijd niet veel armen om zich heen nodig te hebben, denkt Brid. Hij verstopt zich in zijn atelier. Hij is met een opdracht bezig, zegt hij, iets wat veel aandacht eist. Alsof zij en Helena geen aandacht nodig hebben...

'Wat ga je er eigenlijk in doen, in opa's hutkoffer?' klinkt Mia's stem.

Brid kijkt haar een beetje wazig aan. 'Weet ik nog niet.'

Mia schuift naar het voeteneinde van het bed en tilt het gebogen deksel van de koffer open. Hij ruikt nog steeds een beetje muf.

De spullen die erin zaten zijn óf weggegooid, óf door Frans en Helena mee naar huis genomen.

Oma Mies heeft de stofzuiger erdoorheen gehaald. 'Je moet wel voorzichtig zijn met de voering,' had ze tegen Ray gezegd. 'Die is op sommige plekken vergaan.'

Brid denkt erover de voering eruit te halen. Misschien vindt ze hem zonder wel mooier.

'Voorlopig moet je hem misschien even leeg laten,' stelt Mia voor. 'Zodat hij tot rust kan komen.'

'Ja, hoor,' reageert Brid lacherig. 'Een hutkoffer die tot rust moet komen! Dat ding staat al jarenlang op een stoffige zolder tot rust te komen. Hij is blij dat hij is leeggehaald en weer een nieuwe bestemming krijgt.'

Mia grijnst. 'Maar dan moet je wel iets nieuws voor hem verzinnen.'

Brid schenkt thee in. Dan valt haar blik op het pentagram om Mia's hals. Ze buigt naar voren en bekijkt het van dichtbij. 'Ben je nog steeds met hekserij bezig?'

Mia neemt de hanger tussen haar duim en wijsvinger. Ze krijgt een vertederde blik in haar ogen. 'Daar hadden we het toen over, op zolder, weet je nog?'

Brid maakt een enthousiaste knikbeweging. Natuurlijk weet ze dat nog.

'Ik ben er veel over aan het lezen,' vervolgt Mia. 'Heel interessant.'

'Ben jij nu zelf ook een heks?'

Mia begint te giechelen. 'Nee joh, daar ben ik toch veel te lui voor, dat had ik toch al gezegd? Ik lees er gewoon graag over.' Ze haalt de ketting van haar hals en legt het pentagram in haar vlakke hand. 'Het pentagram is het symbool van de vijf elementen: aarde, water, vuur, lucht en ether. Dat vind ik een mooi symbool, daarom draag ik het.' Ze kijkt Brid met glinsterende ogen aan.

'Weet je nog...' zeggen ze tegelijkertijd.

Ze schieten in de lach.

'Dat was wel een heel grappig toeval,' zegt Mia dan, 'dat je dat verlanglijstje van je moeder vond waarin ze een boek over heksen vraagt, terwijl wij het net over hekserij hadden.' Even is ze stil. 'Hoewel ik niet zo in toeval geloof...' voegt ze er dan langzaam aan toe. 'Het was bijna alsof je een teken kreeg...'

'Hoezo?'

'Nou, ik vertel iets over hekserij en op dat moment valt dat verlanglijstje uit een boek. Ik vind dat té toevallig. Dat heet synchroniciteit, ken je die term? Dat betekent dat dingen die eigenlijk niks met elkaar te maken hebben, voor jou wél met elkaar te maken hebben. Bijvoorbeeld dat je over iets aan het nadenken bent en dat je prompt een tijdschrift openslaat op een pagina die net over dat onderwerp gaat. En dat je later op die dag ook nog een gesprek opvangt waarin mensen het over hetzelfde hebben. Van die zogenaamd toevallige dingen, snap je?'

Brid knikt. Ze heeft dat zo vaak gehad. Laatst nog, toen ze in *De Kleine Prins* zat te lezen over de vos en ze daarna haar televisie aanzette en er een documentaire werd uitgezonden over vossen. Dat had ze bizar gevonden.

Mia gaat op haar zij op Brids bed liggen, trekt haar knieën op en ondersteunt haar hoofd met haar hand. 'Waar geloof jij eigenlijk in? Dat heb je me de vorige keer helemaal niet verteld. Of ben je een atheïst?'

Brid zucht. 'Pff, weet ik veel.' Ze trekt een stuurs gezicht. 'Op school moesten we daar laatst ook al een verhaal over schrijven, maar hoe weet ik nou wat ik wel of niet moet geloven? Ik ben pas veertien!' Haar stem klinkt fel.

Mia schiet in de lach. 'Er zijn ook best jongeren die in God geloven hoor.'

'Uit zichzelf of omdat ze dat moeten van hun ouders?'

Mia kijkt Brid verrast aan. 'Dat is een goeie...' Ze denkt even na. 'Zouden kinderen die opgroeien zonder volwassenen of scholen die daar iets over vertellen, ook in een god kunnen geloven?' zegt ze dan. 'Kan dat überhaupt als niemand je daar ooit iets over heeft verteld?' Haar gezicht krijgt iets triomfantelijks. 'Misschien zouden die kinderen dan van voren af aan beginnen en goden zien in bomen, en wolken, en het weer...'

'En dan zijn we weer terug bij de natuurreligies, zoals hekserij,' zegt Brid grinnikend. Ze kijkt Mia nieuwsgierig aan. 'Maar jij gelooft daar dus wel in, in hekserij?'

'Ach, geloven,' antwoordt Mia. 'Ik vind het interessant, maar of ik er echt in geloof... En weet je, jij kunt wel zeggen dat je pas veertien bent, maar ik ben ook pas negentien. Misschien geloof ik over twee jaar iets heel anders. En als ik vijftig ben nóg weer iets anders.'

'Of je gelooft nergens in, zoals Ray.'

'Frans gelooft ook nergens in.'

'En onze moeders?'

Er valt een schaduw over Mia's gezicht. Sinds Frans en

Carina zijn gescheiden, heeft Mia niet veel contact met haar moeder. Carina is na de scheiding eerst 'op zoek gegaan naar zichzelf' in een klooster in Spanje, maar kwam daar depressiever vandaan dan toen ze erin ging. Sindsdien leidt ze een teruggetrokken bestaan en slikt ze medicijnen om haar sombere buien het hoofd te bieden.

'Sorry,' verontschuldigt Brid zich snel. 'Je wilt misschien wel helemaal niet over je moeder praten...'

Mia zucht. 'We hebben wel contact hoor, maar op de een of andere manier gaat het gewoon niet zo tussen ons.' Ze haalt haar schouders op en probeert een glimlach tevoorschijn te toveren. 'Gelukkig heb ik een vader met wie ik het heel goed kan vinden.' Haar ogen schieten vol.

Brid slaat een arm om haar heen.

Even zitten ze stil bij elkaar. Vroeger hadden ze aan een half woord genoeg. Nu ook.

Brid vindt het prima. Ze hoeven niet altijd iets te zeggen. Stil zijn mag ook.

'Ik weet niet of Helena ergens in gelooft,' verbreekt ze na een poosje de stilte. 'Maar ze gelooft in ieder geval niet op de katholieke manier in God.' Ze denkt even na. 'Ik denk dat ze in mensen gelooft,' vervolgt ze dan. 'In de kracht van mensen.'

'Heksen geloven ook in de kracht van mensen,' zegt Mia. Ze begint te giechelen. 'Misschien is Helena dan tóch een heks.'

Brid buigt zich naar haar nichtje toe. 'In het geheim...' fluistert ze.

'En dat ze nu...' Mia laat haar stem dalen, 'met Ray naar het bos is om geheime rituelen uit te voeren...'

'En te dansen... bij volle maan...' vervolgt Brid op geheimzinnige toon.

Mia giechelt. 'Naakt... En dat ze dan vrijen tot de vonken ervan af vliegen...'

'Ieuw!' roept Brid uit, terwijl ze Mia met een speelse zet omduwt.

Mia laat zich proestend op haar rug vallen. 'Je ouders hebben echt wel seks, hoor!'

'Ja, dat weet ik ook wel,' zegt Brid een beetje onwillig. Ze is niet achterlijk, ze weet heus wel dat haar ouders het nog doen. Aan de ene kant vindt ze dat hartstikke goed, maar aan de andere kant wil je dat als kind toch eigenlijk helemaal niet weten? Ray is als veertiger best nog aantrekkelijk – blond, gebruind, een goed figuur – en Helena kun je met haar kleine slanke gestalte, haar bijzondere groene ogen en hippe koperkleurige haar ook best nog sexy noemen, maar het idee dat je ouders seks hebben – gatver! De gedachte alleen al bezorgt haar koude rillingen.

Hoewel, als haar ouders geen seks hadden gehad, was zij er niet geweest. En als opa en oma geen... Ieuw! Daar moest je toch al helemáál niet aan denken! Maar pff, zelf had ze er nog helemaal geen ervaring mee, zij kon zich er sowieso nog niet veel bij voorstellen...

Plotseling wordt ze doodmoe van die gedachten die maar door haar hoofd blijven razen. Ze wou dat ze ze even stop kon zetten.

'Wat zou jij op dit moment nu eens heel graag willen?' vraagt Mia haar ineens, alsof ze Brids gedachten moeiteloos heeft opgepikt.

Verrast kijkt Brid haar aan. 'Rust in mijn hoofd,' antwoordt ze zonder nadenken. 'Ik word soms gek van die herrie in mijn kop.'

'God ja,' beaamt Mia meteen. 'Ik ken dat. Soms wou ik dat ik mijn gedachten even stop kon zetten en dat er een aan- en uitknop voor was...'

Brid krijgt zo langzamerhand het gevoel alsof er een luikje in haar hoofd zit waardoor Mia ongemerkt naar binnen kan kruipen.

Mia pakt haar tas en haalt een flesje tevoorschijn. 'Dit helpt mij soms,' zegt ze. Ze draait het dopje open. Er zit een druppelaar op. 'Voor mij is dit soms een perfecte uitknop. Hou je hand eens open?'

Mia laat een druppel op Brids hand vallen. Brid herkent de geur meteen. Lavendel.

In haar gedachten is ze meteen terug in de vorige eeuw: lavendel was de eerste geur die ze opving toen ze voor het eerst in de tuin was van opa Frans en oma Mia, kraaiend in een kinderwagen...

Brid wrijft haar handen tegen elkaar en houdt ze voor haar gezicht. Ze sluit haar ogen en snuift de geur diep op. Een warme zomergeur dringt haar neusgaten binnen. Even is het alsof ze weer in de kinderwagen in opa's tuin ligt, omringd door het geluid van vogeltjes en de kruidige geuren van de tuin.

Nog steeds staat opa's tuin vol met lavendel. Niet dat hij zo'n tuinier was, dat was meer oma's terrein. Zij wist het armetierigste plantje nog tot bloei te brengen. Na haar dood gaven de planten in de vensterbank een voor een de geest. In tegenstelling tot oma had opa geen groene vingers. En voor oma Mies hoefde het ook allemaal niet zo.

Plastic planten waren ervoor in de plaats gekomen.

Maar in de tuin was de lavendel blijven groeien en bloeien, ook na de dood van oma. Zonder dat opa er veel aan hoefde te doen. 'Oma's geest waart hier nog rond,' had opa wel eens gezegd. 'Ze zorgt nog steeds voor haar kruidentuintje.'

Ineens schiet er een gedachte door Brids hoofd.

'Wacht,' roept ze.

Ze rent haar kamer uit, de trap af en pakt een stapeltje boeken uit de boekenkast in de woonkamer. Ze weet precies waar ze liggen. Ze heeft ze wel eens doorgebladerd, maar toen stond ze niet echt stil bij de mogelijke betekenis ervan.

'Jee,' zegt Mia als ze de titels bekijkt. '*De plant en de sterren, Helende kruiden, 1001 tovermiddeltjes?*' De verbazing is op haar gezicht te lezen. 'Hoe kom je hieraan?'

'Ze waren van oma,' antwoordt Brid. 'Ze lagen helemaal achter in een kast. Door de lavendel dacht ik er ineens weer aan.'

'Dus ze was misschien toch een beetje een heks...' zegt Mia zacht. Ze kijkt Brid dromerig aan. 'Als er vorige levens bestaan, zijn jij en ik en oma vast allemaal wel een keer heks geweest.'

Ze zegt het alsof het de gewoonste zaak van de wereld is, maar Brid krijgt meteen een akelig beeld voor ogen: vrouwen op brandstapels, gillend in het vuur. Of juist met een stille blik, berustend in hun lot vanuit de kracht van hun geloof.

Er loopt een rilling over Brids rug. Ze gelooft liever niet in vorige levens...

Samen bladeren ze door de boeken. Overal staan aantekeningen in de kantlijn gekrabbeld, in een ouderwets handschrift. Ook liggen er papiertjes in met steekwoorden en recepten.

'Ik herinner me nu dat mama me wel eens heeft verteld over oma en haar kruidenmiddeltjes,' zegt Brid. 'Dat ze overal wel iets voor wist. Als oma bijvoorbeeld last had van zere knieën, deed ze er koolbladeren op. Na een paar dagen was de pijn dan weg...' Brid begint te giechelen. 'Zelfs toen ze in het ziekenhuis lag en pilletjes kreeg voor haar hart waar ze kotsmisselijk van werd, had ze stiekem een kruidendrankje in haar nachtkastje tegen die beroerdheid.'

'Pff,' zegt Mia, 'maar dan was ze ook wel een beetje een domme heks. Oma had een streng zoutloos dieet, maar Frans vertelde me dat ze toch één keer per week een zoute haring het ziekenhuis binnen liet smokkelen omdat ze die zo lekker vond.'

'Echt?' roept Brid uit. 'Wat stom, dat is net zoiets als een zoutpot aan je mond zetten!'

'Ach, ze ging tóch dood, met of zonder zoute haring,' merkt Mia nuchter op. 'Misschien wist oma dat diep vanbinnen wel.'

Brid schrikt bijna van Mia's directheid. 'Hoe weet jij dat nou? Misschien had ze nog wel geleefd als ze niet zoveel illegale zoute haring naar binnen had gewerkt.'

'Hmm,' reageert Mia een beetje afwezig. Ze vouwt haar benen in kleermakerszit en sluit een kort moment haar ogen. Dan draait ze haar hoofd weer naar Brid toe. 'Oma heeft in een droom afscheid van me genomen.'

Brids mond valt open. Ongelovig staart ze Mia aan. 'Hè? Je was pas zeven toen ze doodging.'

Mia strekt haar armen boven haar hoofd en rekt zich met een diepe zucht uit. 'Ja, maar dat maakte niet uit. Oma zei in mijn droom dat ik het wel zou snappen. Dat ze genoeg had gezorgd, dat ze moe was.' Er komt een verwonderde blik in Mia's ogen. 'Gek eigenlijk, dat ik dat snapte, want inderdaad, ik was pas zeven...'

Ineens springt Brid van haar bed en begint wild met haar voeten op de grond te stampen en boksbewegingen te maken met haar armen.

Mia kijkt geamuseerd toe. 'Wordt het je een beetje te zweverig allemaal?'

'Goed geraden,' zegt Brid. 'Het is toch niet normaal dat we nu al' – ze kijkt op haar horloge – 'een úúr over dit soort dingen zitten praten? *Jesus!* Wij horen MTV te kijken en over jongens te praten en over de nieuwste films. Desnoods over politiek!'

Mia schiet in de lach. 'Ja, politiek, dat is pas interessant. Ik heb het liever over spiritualiteit dan over die shit.' Ze strekt haar benen voor zich uit en wiebelt wat met haar tenen. Ze kijkt ernaar alsof ze voor het eerst van haar leven wiebelende tenen ziet. Vandaag draagt Mia een zwarte lange broek met megawijde pijpen. De halfhoge zwarte laarzen die ze aanhad toen ze binnenkwam, heeft ze uitgedaan. Er kwamen, uiteraard, zwarte sokken onder tevoorschijn.

In een opwelling trekt Brid een la open en haalt er een paar knalroze kniekousen uit. 'Hier.' Ze werpt Mia de sokken toe. 'Van onder af aan beginnen.' Ze grijnst. 'Met weer wat kleur in je leven,' voegt ze eraan toe.

Mia rolt op haar rug en steekt haar voeten in de lucht. 'Doe jij maar.'

Met handige bewegingen trekt Brid Mia's zwarte sokken van haar voeten en vervangt ze door de knalroze.

'Geen gezicht,' geeft Brid meteen toe. 'Maar je moet ze toch aan laten.'

'Ja, mevrouw.' Mia gaat weer rechtop op bed zitten en wiebelt haar tenen opnieuw heen en weer. 'Heb je ze niet in het paars?' vraagt ze dan.

Brid doorzoekt haar la en haalt een paar lavendelkleurige enkelsokjes tevoorschijn.

'Dat is beter,' zegt Mia. 'Lavendel is nu precies goed.'

Mia is weer weg. Jammer. We hebben over van alles en nog wat gepraat.
Ik heb haar ook verteld over Menno. Dat we één keer hebben gezoend en dat ik nu niet zo goed weet hoe het verder moet. Mia zei dat ik misschien moet afwachten. Dat ik het vanzelf wel merk als hij verliefd op me is.
Maar ben ik nog wel verliefd op hem? Ik vind hem megaleuk, maar ik heb niet meer van die erge kriebels in mijn buik. Niet als eerst...
Heeft die tongzoen iets verpest?
Heeft hij spijt?
Heb ik spijt?

22

'Hé.'

'Hoi.'

Brid en Menno geven elkaar een vluchtige kus op de mond. Dat hebben ze nooit eerder gedaan, realiseert Brid zich ineens. Vóór die tongzoen hadden ze elkaar zelfs nog nooit een kus op de wang gegeven.

Maar deze losse kus op zijn lippen voelt vreemd.

Alsof ze weer van voren af aan moeten beginnen.

Alsof de tongzoen nooit heeft plaatsgevonden.

Alsof ze in een soort 'tussenland' terecht zijn gekomen.

'Hoe was je feest?' vraagt Brid.

'Ik ben niet gegaan.'

Verbaasd kijkt ze hem aan. 'Waarom niet?'

'Ik had geen zin.'

Geen zin? denkt Brid. Geen zin om alléén te gaan, bedoelt hij...

Een schurend schuldgevoel bekruipt haar. 'Sorry, maar ik kon echt niet.'

'Nee, tuurlijk niet, het ligt niet aan jou,' zegt Menno, haar verontschuldigingen wegwuivend. 'Het is oké. Was het leuk met je nichtje?'

Brid knikt. Haar ogen glanzen. 'Heel leuk.'

Eigenlijk weet ze niet goed wat ze erover moet zeggen.

Dat zijn meidendingen.

'Brid!'

Ze draait zich om. Het is Emma. Die was het hele weekend weg, waardoor ze elkaar al twee dagen niet hebben gesproken. Een unicum, dat komt bijna nooit voor. Ze aarzelt.

'Je vriendin,' zegt Menno met een grijns. 'Rennen.'

Even kijkt Brid hem verlegen aan. Dan stormt ze op Emma af.

'Niet dat je van me afkomt of zo,' klinkt Menno's stem als Brid in de pauze in haar eentje op de trap van de kantine zit. Dit keer heeft Emma zich opgeworpen om in de rij te gaan staan voor een broodje.

Brid kijkt naar hem en bloost. 'Sorry dat ik zomaar bij je wegliep...'

'Geeft niks, je krijgt een herkansing,' zegt Menno luchtig, terwijl hij naast haar op de trap komt zitten.

Brid draait haar flesje water open en neemt een slok. Haar hart begint sneller te kloppen.

Herkansing...

Ze denkt aan vanmorgen, aan die vluchtige kus op zijn mond. Ze hoeft niet eens haar best te doen om zijn lippen nog steeds op de hare te voelen...

'Zullen we vanavond iets gaan doen?' stelt Menno voor. Hij vraagt het op een manier alsof ze al honderdduizend keer 's avonds 'iets' hebben gedaan.

Brid loopt rood aan en verslikt zich bijna. Dit was wel de laatste vraag die ze had verwacht, en al helemaal niet dat het meteen om vanavond zou gaan.

Koortsachtig denkt ze na, waarbij de vragen in haar hoofd in een razend tempo over elkaar heen tuimelen.

Wat is het vandaag? Heb ik iets vanavond, heb ik huiswerk, heb ik al een afspraak, hebben Ray en Helena iets, moest ik ergens voor thuisblijven, vergeet ik niet iets?

Ze dwingt zichzelf tot kalmte en ademt een keer diep in en uit.

Rustig nadenken: het is maandag, weinig huiswerk, geen afspraken.

'Eh, ja, is goed,' zegt ze snel. 'Wat zullen we gaan doen?'

Een opgeluchte lach breekt op Menno's gezicht door. 'Er is een expositie in de stad,' zegt hij dan. 'Die schijnt echt geweldig te zijn. Ik heb er iets over op televisie gezien. Het heet Body's. Je ziet daar opgezette mensen.' Hij legt zijn onderarmen op zijn bovenbenen, vouwt zijn handen losjes in elkaar en kijkt haar geamuseerd aan. Alsof hij zit te wachten op het shockeffect dat hij van tevoren zorgvuldig heeft voorbereid.

Een fractie van een seconde denkt Brid dat er iets aan haar oren mankeert. 'Wát zeg je?'

'Opgezette mensen,' herhaalt Menno met een bijna triomfantelijke blik. 'Die kunstenaar is daar ooit mee begonnen met een overleden vriend. Die heeft hij gevild. Daarna heeft hij hem op een heel speciale manier geprepareerd en toen in een bepaalde houding gezet, zodat je precies kunt zien hoe een mensenlichaam er onder de huid uitziet. Later hebben ook andere mensen hun lichaam aan die kunstenaar beschikbaar gesteld. Net zoals je dat voor de wetenschap kunt doen, in plaats van je te laten begraven of cremeren.'

Met stijgende verbazing hoort Brid hem aan. De shock

die Menno kennelijk voor ogen had, mist zijn effect niet.

'Gatver!' gruwt Brid met elke vezel in haar lichaam. 'En hoe ziet dat er dan uit?'

Menno tovert een brede, enthousiaste glimlach tevoorschijn. 'Echt heel gaaf. Je ziet bijvoorbeeld twee mensen schaken en dan zie je precies welke spieren ze daarbij gebruiken. Er zit geen huid meer om de lichamen heen. Je ziet alleen hun spieren en hun aderen en zo. Vet interessant.'

Vol afgrijzen kijkt Brid hem aan. Ze was toch niet per ongeluk verliefd geworden op een creep? Wat is dit voor idioot voorstel, om het meisje dat je nog maar één keer hebt gekust meteen tijdens een eerste date mee te nemen naar een expositie over dode mensen?

Even is ze stil. Dan ziet ze ineens de idiotie van het hele verhaal in. Ze gooit haar hoofd in haar nek en schatert het uit. 'Jij bent wel lekker romantisch!' roept ze.

Grijnzend recht Menno zijn rug en spreidt met een gespeeld machogebaar zijn armen. 'Eéé,' zegt hij. 'Je wéét toch...'

Zoals hij daar zit, in die zogenaamde machohouding, met zijn piekerige blonde haar (maar gek genoeg ineens geen pukkels meer op zijn wangen) en zijn immens blauwe ogen, valt Brid nog steeds als een blok voor hem.

Ze geeft zich over. Al moest ze met hem naar een stadion vól geprepareerde lijken, kom maar op...

'Wát zeg je, een expositie van opgezette mensen?' roept Helena geschokt uit.

'Ga je naar *Body's?*' roept Ray enthousiast, die net komt

binnenlopen. 'Dat schijnt echt ongelofelijk te zijn. Ik wil er ook heen!'

'Niet vanavond!' waarschuwt Brid hem meteen. Niet als ik daar ben met Menno, denkt ze. Daar heb ik geen pottenkijkers bij nodig.

'Waarom niet?' vraagt Ray, terwijl hij zijn jas over een stoel slingert.

'Omdat ik al met iemand anders ga.' Brid probeert een bloosaanval te onderdrukken, maar ze voelt haar wangen rood worden.

'Oehoe, een afspraakje?' zegt Ray plagerig.

'Pap!'

'Niet zo flauw doen, Ray,' waarschuwt ook Helena hem.

'Oké,' zegt Ray. 'Maar wel apart voor een date, een lijkenexpositie,' kan hij toch niet laten erachteraan te zeggen.

Brids ogen schieten vuur. 'Het is geen date! Ik ga gewoon met Menno naar die tentoonstelling, meer niet.'

'Oké, oké,' zegt Ray weer. 'Niks gezegd.' Hij heft zijn handen in een verontschuldigend gebaar en loopt naar de koelkast voor een biertje. 'Jij ook?' vraagt hij Helena.

Ze schudt haar hoofd en wijst naar het glas rode wijn voor haar neus.

Brid schenkt zichzelf een glas sojamelk in. Dan loopt ze de trap op naar haar kamer. Snel haar huiswerk maken en dan naar haar 'date'.

Ik ben benieuwd...

23

Aan: Mia
Van: Brid

Lieve Mia,

Wat ik nou heb meegemaakt, ik móét het je vertellen! Ik ben naar Body's geweest, die tentoonstelling van geprepareerde dode mensen, je hebt er misschien wel eens over gehoord (anders moet je er maar even op googelen). Je weet níét wat je ziet. Wat zit een menselijk lichaam knap in elkaar! Ze hadden de aderen en slagaderen blauw en rood gemaakt en alle spieren waren te zien. Het was vet interessant, ik zou er zo weer heen willen. Als je weer in Amsterdam bent, moet je er echt naartoe, hoor!
Ik vond het helemaal niet eng, die mensen waren net kunstwerken. Het idee dat het levende mensen zijn geweest, vond ik eerst wel een beetje raar, maar daar wen je zo aan. Ik wel, tenminste.
Er was ook een zwangere vrouw, dus mét een baby in haar buik! Die vrouw moet zich dus ook voordat ze doodging ter beschikking hebben gesteld aan dit project. Ik vraag me af hoe je tot zoiets komt. Zou ze van tevoren hebben geweten dat ze doodging? Alleen denk ik wel dat het voor familie eng moet zijn:

je zult je dochter maar met een baby in haar buik op zo'n expositie zien. Gatver…
Ik moest natuurlijk wel meteen aan opa denken. Híj was nog 'heel' toen hij lag opgebaard. Bij deze expositie zijn de mensen gevild (eng idee) en daardoor zie je wat daaronder allemaal zit. Vet interessant.
Maar goed, daar mailde ik niet voor. Nou ja, wel als inleiding, maar niet als belangrijkste punt.
Ik was er namelijk met Menno…
Zoals je weet hebben we gezoend, maar daarna hebben we elkaar een beetje ontweken. Ook vanavond, na die expositie, hebben we niet gezoend (tijdens ook niet, ha ha!).
Is dat niet raar? Ik had het best wel gewild, maar ik durfde niet zelf te beginnen.
Hij waarschijnlijk ook niet. Of zou hij ineens niet meer verliefd op me zijn? Maar dan zou hij me toch ook niet voor een date vragen? (Ha ha, een date naar een lijkententoonstelling, hoe verzin je het? Hij heeft misschien gedacht: die zoen in het fietsenhok was zo cliché, laat ik voor een afspraakje eens iets heel ongebruikelijks verzinnen…).
Ik weet niet zo goed wat ik moet doen. Jij had gezegd dat ik maar even moest afwachten. Maar dat heb ik gedaan en er gebeurt niks. Moet ik dan maar het initiatief nemen? Maar de eerste keer heb ik dat ook min of meer gedaan. Is het dan niet logisch dat hij nu aan de beurt is?
Wat zou jij doen?

Liefs,
Brid

Tot Brids verrassing krijgt ze binnen tien minuten een mailtje terug.

Aan: Brid
Van: Mia

Hoi Brid,

Klinkt interessant, die expositie!
Ik heb nu niet zo veel tijd, dus geef ik je snel een tip voor je 'liefdesdilemma'.
Je kunt het volgende proberen: pak pen en papier en schrijf zonder je pen van het papier te halen alles op wat in je hoofd opkomt wat met hem te maken heeft. Geen punten, geen komma's, geen andere leestekens, gewoon doorschrijven. Maakt niet uit wat. Niet over nadenken en niet stoppen met schrijven, want anders ga je censuur toepassen en dat is niet de bedoeling.
Laat me maar weten wat de uitkomst is.
Liefs,
Mia (luie heks in opleiding, ha ha...)

Brid aarzelt.

Wat een stomme oefening. Dat kan toch nooit helpen?

Toch pakt ze potlood en papier. Een groot vel, je weet maar nooit.

Een kort moment denkt ze na. Dan zet ze de punt van haar vulpotlood op het papier:

Ik ben verliefd op Menno maar ik weet niet of hij ook verliefd is op mij want hij laat dat niet blijken maar als hij het wel is waarom zoent hij me dan niet gewoon nog een keer of wil hij me meer als zijn vriendin en niet als een 'vriendinnetje' en is hij misschien afgeknapt op mijn zoen maar waarom vraagt hij me dan evengoed om naar die expositie te gaan jeetje wat een gedoe wat moet ik doen moet ik het hem gewoon maar vragen dan weet ik het tenminste maar ik weet niet of ik dat durf maar als ik het niet doe kan ik misschien wel wachten tot ik een ons weeg en dat vind ik net iets te licht ha ha dus moet ik toch maar dapper zijn en het hem vragen maar wanneer dan op school of na school of voor school of misschien wel via de telefoon of via chat ja misschien moet ik met hem gaan chatten tenminste als hij online is dat zou wel heel toevallig zijn maar toeval bestaat niet zegt Mia en ik kan het toch altijd proberen wat kan mij het schelen ik wil het gewoon weten anders word ik gek want ik ben echt verliefd op hem verliefder dan ik aan mezelf wil toegeven maar laat ik het nou maar gewoon toegeven: ik ben verliefd ik ben verliefd ik ben verliefd...

Stil laat Brid haar potlood op het papier rusten.

Ze is verliefd en ze móét weten of dat ook andersom is. Als dat niet zo is, dan kan ze proberen eroverheen te komen. Als het wel zo is, dan wil ze weer met hem zoenen. Snel. *Voordat ik niet meer durf...*

Brids hart gaat tekeer: hij is online.

Ze tikt:

Hey

Haar scherm blijft even leeg. Dan komt het antwoord:

Menno zegt: Hey
Brid zegt: Ik wil je wat vragen.
Menno zegt: O?
Brid zegt: Ik vond het hartstikke leuk op de expositie.
Menno zegt: Ik ook. Maar dat was geen vraag.
Brid zegt: Sinds wanneer ben jij zo scherp?
Menno zegt: Sinds altijd. Ik ben scherp geboren.
Brid zegt: Ha ha, grapjas.
Menno zegt: Wat was je vraag?
Brid zegt: Eh...
Menno zegt: Dat is geen vraag
Brid zegt: Eh?
Menno zegt: Ha ha, maar nu je echte vraag.
Brid zegt: Komt-ie: ben je nu wel of niet verliefd op mij?

Even blijft het beeldscherm leeg.

Brids hart gaat tekeer.

Dan ziet ze rechts in het beeld het pennetje weer schrijven. Ongeduldig wacht ze tot er een tekst op haar scherm verschijnt.

Ze houdt haar adem in.

Nee, dus...

Maar dan floept zijn berichtje in beeld:

Menno zegt: Hartstikke, maar ik vind het eng om het tegen je te zeggen. Ik schrok een beetje toen je me die zoen gaf, in het fietsenhok. Ik vond het supergaaf, maar het ging me bijna te snel. Is dat stom?

Brid zegt: Waarom zou dat stom zijn?
Menno zegt: Omdat ze altijd zeggen dat jongens maar één ding willen, snap je? En ik ben niet zo'n jongen…
Brid zegt: Wat willen jongens dan?
Menno zegt: Grapjas.
Brid zegt: Ja, ik ben me er een.
Menno zegt: En jij?
Brid zegt: Wat, ik?
Menno zegt: Doe niet zo flauw, nu wil ik het van jou ook weten.
Brid zegt: Ik ben ook op jou… En ik wil met je zoenen… Jij ook met mij?
Menno zegt: Ik dacht dat je het nooit zou vragen. Wanneer?
Brid zegt: Nu?

Brid laat haar laptop openstaan.
Ze schiet in haar jas.
Ze springt op de fiets.
Ze racet naar het park.

Daar is hij, precies op hetzelfde moment.

Allebei gooien ze hun fiets tegen een hek.
Allebei staan ze daarna verlegen stil.
Allebei ademen ze heel even diep in en uit.
Dan bewegen ze naar elkaar toe.
En sluiten ze allebei hun ogen…

24

Brid zegt:	Jeetje...
Menno zegt:	Jeetje terug...
Brid zegt:	Zijn we nu met elkaar?
Menno zegt:	Ik denk het wel, maar...
Brid zegt:	Maar wat?
Menno zegt:	Ik heb niet zo'n zin in geklets. Vind je het heel erg om het nog even geheim te houden?
Brid zegt:	Ik hou van geheimen...
Menno zegt:	Dankjewel. Je bent lief.
Brid zegt:	Jij ook...

Ze sluiten hun chatsessie af. Dan stuurt Bird een kort mailtje naar Mia en zet ze haar laptop uit.

Hoe het morgen op school moet, weet ze even niet. Moeten ze dan net doen of er niets is gebeurd? Ze weet het niet. Maar dat geeft niet. Ze ziet wel. Morgen weer een dag.

Brid voelt zich opgewonden en doodmoe tegelijk. Ze zal straks een extra druppel lavendelolie op haar kussen sprenkelen.

Onwillekeurig legt ze even haar handen op de hutkoffer en sluit haar ogen. Ze ademt diep in en uit. Dan kan ze het niet laten er even in te kijken. Hij is dan wel leeg, maar toch opent ze hem elke dag wel een keer. Langzaam laat ze haar vingers even langs de binnenvoering glijden...

Op hoeveel mensen zou opa verliefd zijn geweest voordat hij oma leerde kennen? Hoe was dat op kostschool en later op het seminarie, waar je priester kon worden en waar alleen maar jongens zaten? Opa had wel eens verteld dat ze niet zonder hemd aan mochten douchen. Ze mochten zichzelf en elkaar niet zien. Dat is toch niet gezond? Zouden ze wel eens naar de meisjeskostschool gesneakt zijn? Vast niet. Daar was opa veel te netjes voor...

Ineens voelt Brid een kleine verdikking onder de versleten olijfkleurige voering langs een van de wanden van de kist. Ze buigt zich voorover. Dat heeft ze nog nooit eerder gevoeld. Er lijkt wel iets te zitten...

Opgewonden strijkt ze met haar handen over de bodem. Daar zit een stukje stof los. Heel voorzichtig probeert ze het verder open te trekken, maar de stof is zo vergaan dat hij in één keer losscheurt. Er valt iets naar beneden. Een envelop...

Met bevende handen pakt Brid hem tussen haar handen. *Frans H. M. de Lange* staat er in zwierige letters op de voorkant geschreven. En een adres dat ze nauwelijks kan lezen. De postzegel die erop zit, is verkleurd.

Brid draait de envelop om. *A. Oldenzeel* staat er als afzender, in hetzelfde ouderwetse, moeilijk leesbare handschrift. Geen adres.

Zenuwachtig haalt Brid de brief uit de envelop en vouwt hem open. Haar mond voelt droog.

Deze brief is niet per ongeluk in de hutkoffer terechtgekomen. Opa heeft hem verstopt...

Met bonkend hart tuurt ze naar de schuin geschreven zinnen op het papier. Dan begint ze te lezen...

25

Brid staart naar opa's naam op het deksel van de hutkoffer.

Ze zeggen dat ik te wijs ben voor mijn leeftijd. Niet alleen nu, maar ook vroeger toen ik nog klein was. Ik voel me niet te wijs, voor mij is het normaal.

Hoe vaak had ze deze zin al niet gedacht, en hoe vaak had ze hem al niet in haar schrift geschreven?

Brid bijt op haar lip. Ze zou met haar ouders moeten praten. Ze zou hun moeten vertellen wat haar allemaal bezighoudt, niet alleen nu, maar ook vroeger. En ze zou hun moeten vertellen over deze brief...

De beltoon van haar mobiel maakt haar ruw los uit haar gedachtewereld.

'Em!' roept Brid twee tellen later, opgelucht dat er meteen iemand is om tegenaan te praten. 'Gelukkig dat je belt, ik moet je iets vertellen...'

Nadat ze weer heeft opgehangen, hoort ze de sleutel in de voordeur.

Aan de manier waarop de deur even later wordt dichtgeklapt, hoort ze meteen dat het Ray is.

'Brid?' roept hij, terwijl hij de trap op komt sjokken.

Snel schuift ze de brief onder haar billen. Waarom weet ze eigenlijk niet. Ze wilde toch met haar ouders praten, ook over de brief? Maar om een of andere reden lijkt dit niet het juiste moment.

Later.

Gauw…

'Hé, schatje,' zegt Ray nadat hij heeft aangeklopt en zijn hoofd om het hoekje van de deur heeft gestoken. 'Hoe is het met mijn meisje?'

'Met je meisje gaat het goed. En met jou?'

'Heel goed,' zegt hij met een grijns die hij er met moeite lijkt uit te persen.

Brid kijkt hem onderzoekend aan. 'Waar was je nog zo laat?' vraagt ze op een toon alsof hij haar echtgenoot is in plaats van haar vader. Ze moet er zelf om lachen.

Ook Ray schiet in de lach. 'Word ik gecontroleerd?'

'Nee, ik wil alleen alles weten.'

Ray loopt op haar af en geeft haar een kus.

'Je hoeft niet alles te weten.'

Bloost hij nou, of ziet ze het verkeerd? Brid kijkt haar vader strak aan. 'Ben je nog steeds met die opdracht bezig?'

Ray knikt. 'Die kost veel tijd.'

'Waar is mama? Ik dacht dat jullie samen weg waren.'

Ray kijkt op zijn horloge. 'Ze moet zo thuis zijn, ze was even naar de galerie om afspraken te maken over haar expositie.'

Volgende maand exposeert Helena met haar boogschietende vrouwen. Allemaal naast elkaar, mooi ingelijst. Brid verheugt zich er enorm op.

Ineens slaat Ray zijn armen om haar middel en tilt haar in één beweging van haar bed.

'Ha ha!' roept hij triomfantelijk. 'Ik kan je nog steeds optillen.'

'Hé, wat is dat?' zegt hij dan nieuwsgierig. Hij zet Brid weer op beide voeten.

Brid volgt zijn blik.

Shit, de brief!

Snel grist ze hem weg.

'Niks,' zegt ze, terwijl ze een bloosaanval probeert te onderdrukken.

Ray trekt zijn wenkbrauwen op. 'Heb je geheimpjes voor me?'

'Ja,' bekent Brid meteen. Met een plotseling slagvaardige blik kijkt ze hem aan. 'Maar jij vast ook voor mij...'

Ray knijpt zijn ogen even tot spleetjes. Hij lijkt te schrikken.

Brid voelt haar maag samentrekken.

Zie je wel, hij houdt iets verborgen...

Op dat moment klinkt er opnieuw een sleutel in het slot.

Ray springt op. 'Daar zul je mama hebben.' De blik op zijn gezicht verraadt opluchting, alsof hij op het nippertje is gered.

'Lieverd,' hoort Brid hem beneden aan de trap tegen Helena zeggen. 'Hoe was het?'

'Top,' klinkt haar stem opgewekt. 'Het wordt een supermooie expositie.'

Brid hoort hoe Helena haar jas op een hangertje aan de kapstok hangt. 'Sorry dat ik zo laat ben,' zegt ze. 'We hebben nog wat zitten drinken.'

'Geeft niks,' reageert Ray naar Brids smaak wat al te snel.

Even later verschijnt Helena's hoofd om het hoekje van de deur.

'Hoe is het met mijn meisje?'

Brid grinnikt. Deze vraag lijkt wel hun vaste stopzinnetje te worden.

Ze reageert met haar eigen stopzinnetje: 'Met jouw meisje gaat het goed. Met jou?'

Helena geeft haar een knuffel. 'Super. Ik heb heel goede afspraken kunnen maken met de galeriehoudster. Het is echt een topwijf.'

Brid lacht. Als Helena iemand een topwijf noemt, dan zit het wel goed.

Ze gaapt. 'Ik ben moe, ik ga slapen.' 'Ik had er allang in moeten liggen,' zegt ze er snel achteraan, voordat Helena haar voor is.

Helena slaat haar armen om haar heen. 'Ik hou van jou,' zegt ze zachtjes in Brids oor.

Brid beantwoordt haar knuffel. 'En ik van jou,' zegt ze met een tevreden zucht.

26

Ze beweegt langzaam en sierlijk, haar heupen wiegend op het ritme van de muziek. Het verbaast Brid dat Koutar, het enige gesluierde meisje uit hun klas, toch gewoon op het schoolfeest mag komen. Het schijnt dat Koutar er zelf voor kiest om zich zo te kleden, dat ze van haar ouders ook westers gekleed zou mogen gaan. Zoals ze nu op de dansvloer staat, als in trance, de ogen gesloten, een glimlach op haar gezicht, dwingt ze Brids bewondering af.

Koutar doet precies wat zij zelf wil...

Dan kijkt Brid om zich heen. Ze voelt zich onrustig. Menno moest even naar de wc, maar hij blijft wel erg lang weg.

'Boe,' hoort ze ineens zijn stem achter haar. Ze draait zich om. Even flitsen haar ogen langs zijn lichaam. Hij ziet er sexy uit. Hij draagt een rood T-shirt en een baggy spijkerbroek en zijn haar heeft hij met wat extra gel bewerkt. Dan blijft haar blik op zijn blauwe ogen rusten.

Hij glimlacht. Ze glimlacht terug.

Verlegen bijna.

Sinds hun hartstochtelijke kus in het park hebben ze het geheim weten te houden. Ze vinden dat allebei misschien nog wel leuker dan openlijk met elkaar zijn. Maar sinds gisteren, toen hij haar een briefje in haar hand drukte, was de situatie voor Brid moeilijker geworden. 'Hé, mijn geheime schat,' stond erop. 'Met je mahoniehouten heksenhaar. Wanneer vertel je me nu eens over Kot?' Met een schok had Brid zich gerealiseerd dat hij inderdaad helemaal niet meer had doorgevraagd over waarom ze tijdens die les van Kot zulke rare dingen had gezegd. 'Met misschien neem ik geen genoegen,' had hij toen gezegd, 'maar later is oké.' Zij had hem er nooit aan helpen herinneren en hij was er nooit meer op teruggekomen. Tot gisteren dus, in dat briefje, waarin hij haar haren ook nog eens heksenhaar noemde...

Maar Brid weet niet wat ze hem moet vertellen. Kot is nog steeds niet terug op school. En ze heeft geen visioenen meer gehad over hem of de vrouw met het lange bruine haar. Al heeft ze er wel gevoelens over. Als ze aan Kot denkt, voelt ze zijn verwarring, zijn angst, zijn schuldgevoel. Soms heeft ze spijt van de dingen die ze in de les heeft gezegd. Zij zou toch niet de reden zijn geweest dat hij langdurig ziek is?

Maar dat kan natuurlijk niet. Als ze daar al toe heeft bijgedragen, dan was hij toch al aan het eind van zijn Latijn geweest, daar konden een paar opmerkingen van een brutale leerling heus niet de oorzaak van zijn.

Of wel?

Menno staat haar nog steeds aan te kijken. Hij spreidt zijn armen alsof hij wil zeggen: 'Dans met mij.'

Ze loopt met hem de dansvloer op.

Dansen zal ik. Met hem.

Tot twee uur. Want dan komt Ray me halen.

Op de Harley.

27

Menno zegt: Oké, dan maar via msn. Gisteren op het schoolfeest wilde je er ook al niks over zeggen. Misschien durf je het via het veilige toetsenbord wel? Of ga je het me vertellen per brief, geschreven met een ganzenveer en opgestuurd per postduif?

Brid moet om zijn berichtje lachen, maar doet net alsof ze hem niet begrijpt.

Brid zegt: Hoe bedoel je?
Menno zegt: Dat weet je best.
Brid zegt: Ja...
Menno zegt: Nou?
Brid zegt: Als ik het je zeg, dan maak je het ter plekke uit.
Menno zegt: Try me...
Brid zegt: Beloof me dat je het niet ter plekke uitmaakt.
Menno zegt: Ik beloof het.

Brid haalt diep adem. Dan schrijft ze in één keer:

Brid zegt: Ik heb herinneringen aan voordat ik geboren werd, ik hoor de stem van mijn overleden opa, ik

zie aura's en wolken van licht tussen mensen en
in een vorig leven was ik misschien wel een heks.

Even aarzelt ze, dan drukt ze op ENTER.

Ze staart naar het beeldscherm. Ze ziet het pennetje naast Menno's foto niet bewegen.

Ze zakt achterover in haar stoel.

Zie je wel, nu vindt hij me een eng meisje met wie hij niets meer te maken wil hebben. Nou, dan zal ik tegen hem zeggen dat hij het heus niet bij een ander meisje had hoeven flikken om naar een expositie van opgezette mensen te gaan. Dat hij zelf ook een creep is! Dat...

Menno's pennetje is weer aan het schrijven.

Menno zegt: Mijn peettante kan ook aura's zien...

Het duurt even voordat zijn boodschap tot Brid doordringt. Zijn peettante? Dus hij vindt haar niet raar?

Maar misschien vindt hij zijn tante ook wel raar... Misschien schrijft hij straks wel dat hij het niet trekt om twee van zulke heksen om zich heen te hebben. Dat hij een gewoon meisje wil. Een meisje als Kim...

Zijn pennetje schrijft niet. Hij wacht kennelijk op antwoord.

Brid zegt: Dus je vindt me niet raar?
Menno zegt: Tuurlijk vind ik je raar. Maar als ik dat niet zou vinden, zou ik niet verliefd op je zijn. Ik hou van rare mensen. Daarom werd ik uiteindelijk niet verliefd op Kim. Zij is wel lief, maar te gewoon.

Een gewoon Hollands meisje, met gewoon blond haar en gewone Hollandse ouders en een gewone Hollandse hond in een gewoon Hollands huis in een gewone Hollandse straat.

Ineens realiseert Brid zich dat Menno en zij allebei niet in een gewoon Hollands huis in een gewone Hollandse straat wonen. Brid woont in een verbouwd schoolgebouw en Menno woont in een achterhuis aan een van de grachten.

Een jongen met ongebruikelijk blauwe ogen in een ongebruikelijk huis...

Brid zegt: Jeetje, en ik maar denken dat je me stom zou vinden als je zou weten dat ik aura's kon zien...

Menno zegt: De blik die je trok bij Kot: als mijn tante 'iets ziet', kijkt ze ook altijd zo. Ze heeft het me verteld toen ik er een keer een artikel over las waar ik lacherig over deed. Ik vond het in het begin wel een beetje een raar idee. Ik ken anders niemand die zoiets heeft. Maar nu ken ik er twee!

Brid zegt: Drie.

Menno zegt: ?

Brid zegt: Mijn nichtje Mia kan het ook.

Menno zegt: Het lijkt wel een epidemie! Is het intussen bijna niet raar als je het níét kunt?

Brid zegt: Ja, heel erg raar. Je moet er nodig voor in therapie.

Menno zegt: Jij hebt herinneringen aan voordat je geboren werd en je hoort de stem van je dode opa, en ík moet in therapie?

Brid zegt: Oké, gaan we samen in therapie.
Menno zegt: Lachtherapie schijnt goed te werken.
Brid zegt: Ha ha ha ha ha!
Menno zegt: Wanneer zie ik je weer?
Brid zegt: Wanneer mag je me weer zoenen, bedoel je?
Menno zegt: Goed geantwoord, je mag door naar de volgende ronde.
Brid zegt: Dus je maakt het niet uit?
Menno zegt: Waarom zou ik?
Brid zegt: Gelukkig ben ik op jou verliefd geworden en niet op iemand anders.
Menno zegt: Ja, gelukkig wel…
Brid zegt: En nu?

Even later sluiten ze hun chatsessie af.

Ze willen elkaar zien.

En meer dan dat.

28

Aan: Brid
Van: Mia

Hé Brid,

Heb je nou die brief van Anne Oldenzeel al aan je ouders laten lezen? En wat vonden ze ervan?
Hoewel ik het vermoeden heb dat ze nog van niks weten, want ik heb er van mijn vader nog niks over gehoord en als je Helena over die brief had verteld, had ze vast meteen met Frans aan de telefoon gehangen (en hij daarna met mij...).
Hoor ik even van je?

Big kiss,
Mia

Brid haalt de geheime brief aan opa uit haar sokkenla, waar ze hem had verstopt. Heel even houdt ze hem aarzelend in haar handen.

Ze zucht. Het is niet dat ze haar ouders niet over de brief wílde vertellen, het is meer dat ze het soms zo fijn vindt om iets een tijdje voor zichzelf te houden, alsof het dan nog even van haar alléén blijft. Maar het is toch al niet meer helemaal van haar alleen. Ze had er Emma immers meteen al over verteld en Mia er de volgende dag over gemaild. Mia had gelijk, ze moest het nu toch echt aan haar ouders vertellen.

Het is niet alleen een brief aan mijn opa, maar ook een brief aan mama's vader...

Ineens snapt ze niet hoe ze dit twee dagen voor haar moeder geheim heeft kunnen houden.

Ineens kan ze niet wachten om Helena's gezicht te zien als ze de brief leest.

Met de brief in haar handen stormt Brid de trap af.

Helena en Ray zitten allebei in de keuken, de tafel is al gedekt.

'Mmm, lekker,' zegt Brid als ze de geur van zelfgemaakte lasagne opsnuift. Ze is dol op Italiaans eten. Helena en Ray gelukkig ook.

'Hé, heb ik die niet al eerder gezien?' zegt Ray als hij de brief in haar hand ziet.

'Wat?' vraagt Helena, terwijl ze de lasagne in stukken snijdt.

'Een geheime brief,' zegt Ray. 'Maar nu ze hem mee naar de keuken neemt, is hij niet lang geheim meer, denk ik.'

Niet-begrijpend kijkt Helena van de een naar de ander. 'Is hier iets dat ik niet weet?'

Brid haalt de brief uit de envelop en vouwt hem open.

'Jullie zullen het nu allebei te weten komen,' zegt ze, terwijl ze een stoel naar achteren schuift en gaat zitten. 'Dit is een geheime brief aan opa. Een liefdesbrief...'

'Een liefdesbrief?' roepen Ray en Helena tegelijkertijd.

'Van oma?' vraagt Helena verbaasd.

Brid schudt haar hoofd. 'Van een zekere Anne.'

'Anne?' zegt Helena verbaasd. 'Nooit van gehoord...' Ze kijkt Brid nieuwsgierig aan. 'Hoe kom je eraan?'

'Hij zat verstopt in de voering van de hutkoffer.'

'Spannend...' zegt Ray met glimmende ogen. 'Lezen?' Hij strekt zijn hand naar Brid uit.

'Ik eerst!' roept Helena verbolgen. 'Het is een brief aan míjn vader!'

Maar Brid houdt de brief stevig met twee handen vast. 'Ik lees hem voor,' zegt ze beslist.

Helena trekt een ongeduldig gezicht. 'Schiet op dan,' zegt ze. 'Ik ben stiknieuwsgierig!'

29

21 augustus 1949

Lieve Frans,

Ik weet niet zo goed hoe ik het je moet vertellen.
Ik heb nog nooit zulke sterke gevoelens voor iemand gehad. Ik ben wel eens verliefd geweest, maar mijn gevoelens zijn nu heviger dan ooit.
Ik ken je nu al zo lang. Ik dacht dat het wel over zou gaan, maar dat gebeurt niet. Ik kan je niet uit mijn gedachten zetten. En dat is fout voor iemand zoals ik. Mensen zoals ik horen geen liefdesgevoelens te hebben. Ja, wel voor God, maar niet op de manier zoals ik ze nu voel. Ik schaam me. In gedachten kan ik nog steeds jouw handen op mijn lichaam voelen, zo zacht, zo warm, zoveel jaren geleden. Ik voel me eenzaam bij de gedachte dat ik dat nooit meer zal mogen ervaren. Ik weet niet hoe dit voor jou was, of het bij jou alleen uit eenzaamheid was of dat je mijn gevoelens beantwoordde. Ik dorst het je destijds niet te vragen, ik was te bang voor het antwoord dat ik zou kunnen krijgen…
Ik zou zo graag willen weten of je er spijt van hebt, of dat je werkelijk iets voor mij hebt gevoeld. Meer dan vriendschap, bedoel ik.
Dat zou mijn ziel rust geven, wat voor antwoord je me ook geeft.
Ik wist van het begin af aan dat het niet jouw pad zou zijn om het

seminarie af te maken. Daar had je, toen al, te wereldse verlangens voor. Jij wilde vrij zijn. Ik ook, maar toch heb ik voor het klooster gekozen. En nu ben ik radeloos. Ik mis je, zelfs na al die jaren. Ik weet niet meer wat ik moet doen. Moet ik het kloosterleven de rug toekeren ? Moet ik me ook aan de wereldse verlangens overgeven ? Mijn gebeden hebben mij nog geen antwoord gegeven en mijn twijfels worden alleen maar groter. God stelt mij zwaar op de proef door jou op mijn pad te sturen. Ik bid dat ik die proef doorsta. Toch schrijf ik je deze brief. Een wanhoopsdaad.

In liefde,
Anne

Brid legt de brief naast haar bord op tafel.

Zwijgend pakt Helena hem op en leest hem nog een keer. Er staan tranen in haar ogen.

'Anne?' prevelt ze als ze weer opkijkt.

'Anne?' zegt ook Ray. Hij trekt zijn wenkbrauwen op. 'Er zaten toch geen meisjes op kostschool? En toch al helemaal niet op het seminarie?'

'Iemand van de meisjeskostschool denk ik,' zegt Brid, 'die later non is geworden.' In gedachten ziet ze opa stiekem over muurtjes klimmen om zijn geheime liefde te ontmoeten.

Wat voor plek zouden ze daarvoor hebben gekozen? Zij kan met Menno in een hoekje van het park afspreken, hun 'geheime plek', bij de kastanjeboom. Zou opa ook zo'n geheime plek hebben gehad?

Dan kijkt Helena Ray en Brid verdwaasd aan. 'Het was geen non,' zegt ze op een toon alsof ze zich ineens iets realiseert waar ze zelf van schrikt.

'Hoezo?' zegt Ray. 'Ze heeft het toch over het klooster?'

'Het was geen "ze",' reageert Helena met een stem alsof ze zelf nauwelijks kan geloven wat ze zegt. 'Anne is ook een jongensnaam. Het moet een jongen zijn geweest...'

Brids mond zakt open. 'Een jongen? Een jóngen die verliefd was op opa?'

'Jeetje,' zegt Ray. 'Maar je vader was toch geen homo?'

Helena schudt krachtig haar hoofd. 'Als er íémand hetero was, dan was mijn vader het wel.' Dan kijkt ze Ray vertwijfeld aan. 'Toch?'

Ray haalt zijn schouders op. 'Vroeger misschien niet. Weet jij veel. Eerst op zo'n jongenskostschool en later op een seminarie. Alleen maar mannen om je heen. Die moesten toch ook ergens heen met hun behoeftes.'

'Weet je,' zegt Helena nadenkend, 'ik geloof best dat er geflikflooid werd in zo'n seminarie, maar ik geloof nooit dat opa serieuze homoseksuele gevoelens heeft gehad. Hij was een absolute heteroman. En hij is trouwens al heel snel met die priesteropleiding gestopt om geschiedenis te gaan studeren. Hij voelde natuurlijk al aan zijn water dat hij nooit celibatair zou kunnen blijven.'

'Dat is waar,' zegt Ray. 'Maar als jonge jongen heeft hij misschien wel wat uitgeprobeerd. Dat kan toch?'

Even zwijgt Helena. 'Jammer dat we die brief niet eerder hebben gevonden. Ik had papa er graag naar willen vragen.'

'Je had toch geen antwoord gekregen,' zegt Ray stellig. '"Wie wil er nog koffie?" zou je vader geroepen hebben.'

Brid pakt de brief weer op. Ineens bedenkt ze iets. 'Zou die Anne niet op opa's begrafenis zijn geweest?'

Helena springt overeind. 'Jeetje, wat slim, we kunnen

hem misschien wel traceren via het condoleanceboek!' Ze stuift naar de woonkamer. 'Wat was zijn achternaam ook alweer?'

'Oldenzeel,' roept Brid.

'Als hij nog leeft, was hij misschien inderdaad wel op de begrafenis,' zegt Helena als ze even later met haar vinger langs de namen in het condoleanceboek glijdt. 'Er waren zoveel oude mensen. Er waren er ook die op de rouwadvertentie in de krant zijn afgekomen.'

Ze slaat de volgende bladzijde om.

'Verrek, hier staat hij: A. Oldenzeel. Met adres...'

'Je gaat toch niet...?' zegt Ray.

'Jazeker,' zegt Helena. 'En niemand die me tegenhoudt.'

30

Met snelle passen rent Brid door het park. Ze voelt zich gefrustreerd. Zij heeft die brief gevonden, zij wil met Anne praten!

Mama gaat hem opzoeken en ik mag niet mee. Maar ik heb die brief gevonden. Nu hebben we ruzie omdat mama zegt dat ze het me wel zal vertellen als ze hem gezien heeft, dat het om een brief aan háár vader gaat. Maar het is toch míjn opa? Ik ben stiknieuwsgierig naar die Anne. Hij is nu een oude man. Maar ooit is hij misschien een jonge adonis geweest, met een goddelijk lichaam...

Brid schiet in de lach. Een goddelijk lichaam, dat heeft hij nu vast niet meer.

Ineens staat ze stil.

Opa's oude fotoboeken! Daar zitten misschien ook foto's in uit zijn kostschooltijd!

Ze draait zich om en sprint terug naar huis.

Er is nog niemand. Helena is boodschappen doen, weet ze, en Ray zit waarschijnlijk in zijn atelier. Snel loopt Brid naar de boekenkast, waar op de onderste plank de oude fotoboeken van opa staan. Helena had ze van haar broer mee naar huis mogen nemen. 'Jullie hebben meer ruimte dan ik,' had Frans gezegd. Toen Carina en hij gingen scheiden, is hij naar een klein driekamerappartement verhuisd, waar hij moet woekeren met de ruimte.

Brid gaat op de grond voor de boekenkast zitten en bladert met snelle vingers door de fotoalbums heen.

Daar, een klassenfoto. In zwart-wit, met gekartelde randen.

Voorzichtig peutert ze hem tussen de fotohoekjes vandaan en draait hem om. Achterop staan een rits namen in een ouderwets handschrift.

Anne, ziet Brid al snel. Onderste rij, midden.

Ze draait de foto weer om. In de onderste rij, in het midden, kijkt een jongen van een jaar of tien haar lachend aan. Hij heeft een smal meisjesachtig gezicht, omlijst door lichtbruin krullend haar.

Even laat ze haar blik erop rusten. Ineens moet ze denken aan een van opa's brieven vanuit kostschool, waarop hij schrijft over een nieuwe schoolvriend, maar dat ze uit elkaar waren gehaald omdat ze te veel samen waren en dat opa dat niet begreep... Dat was natuurlijk Anne, realiseert Brid zich met een schok. Anne was tóén al verliefd op hem!

Snel zoekt ze verder naar foto's waarop opa ouder is. Weer vindt ze een foto met meerdere mensen erop. Alleen jongens. Ze zijn een jaar of achttien, schat ze. Ze hoeft de foto niet om te draaien om de namen te checken, ze herkent ze meteen: opa en Anne, naast elkaar. Opa met een serieuze, ietwat onzekere blik, Anne met een glimlach om zijn mond.

Brid sluit haar ogen. Ze denkt aan Menno, op wie zij gewoon lekker verliefd mag zijn. Niet alleen omdat ze hetero is – want dat hoeft in deze tijd niet meer uit te maken – maar omdat hun verliefdheid wederzijds is.

Plotseling voelt ze zich verdrietig. Niet om zichzelf, maar

om de geheime, onbereikbare en onvervulde liefde van een jongen voor een jongen. Toen een jongen, nu een oude man.

Een oude man die mij kan vertellen over opa.

Míjn opa...

31

Amsterdam, 2008

Beste meneer Oldenzeel,

Ik vond uw adres in het condoleanceboek. Mijn moeder heeft een afspraak met u gemaakt, maar ik mag niet mee. Dat vind ik niet eerlijk, want ik heb uw brief gevonden. Daarom schrijf ik u deze brief, en ook omdat ik u een paar dingen wil vragen...
Ik snap best dat het vroeger heel moeilijk moet zijn geweest om verliefde gevoelens te hebben voor een andere jongen. Tegenwoordig is dat een stuk gemakkelijker – tenminste, in Nederland. Ik begrijp het als u er nog steeds niet over zou willen praten, want u komt uit een andere tijd en ik weet niet hoe uw leven geweest is, maar ik zou zo graag een paar dingen willen weten... Bent u in het klooster gebleven of bent u getrouwd? Hebt u kinderen?
Ik hield erg van mijn opa en ik mis hem, maar ik vind het fijn dat hij op een pijnloze manier is doodgegaan. Iedereen zei dat dit echt een 'Frans de Lange'-manier van sterven was. Huppekee, ineens weg, zonder gedoe. U weet dat hij een hartaanval heeft gehad? Volgens de dokter heeft hij er niets van gemerkt.

Voor hem was de dood geen taboe. 'Dan ga je naar Maria,' zei hij. Het rare is dat hij vorig jaar zei dat hij volgend jaar zijn verjaardag niet zou vieren. We dachten toen allemaal dat hij een grapje maakte, niemand nam het serieus. Iedereen dacht dat hij minstens honderd zou worden. Zou hij toen al een voorgevoel hebben gehad?
Ik hoop voor hem dat hij nu bij Maria is. U gelooft daar natuurlijk ook in. Ik weet nog niet of ik daarin geloof. Ik ben niet gelovig opgevoed. Mijn nichtje Mia zegt dat God in alles en iedereen zit. Dat vind ik wel een goed idee. Maar God zit bij mij dan misschien wel in een hoekje van mijn kleine teen, want ik heb hem nog niet gevonden.
Sorry, het is misschien een beetje raar om zo te schrijven aan iemand die je helemaal niet kent, maar ik heb foto's van u als jongen gezien in een fotoalbum van opa, dus bent u niet helemaal een vreemde voor me. En door die brief die u aan opa schreef, ken ik u natuurlijk ook een heel klein beetje...
Mijn ouders weten niet dat ik deze brief schrijf. Ik zou het wel leuk vinden om iets van u te horen. Maar u kunt niet naar mijn huisadres schrijven, want papa en mama mogen dit niet weten. U kunt terugschrijven naar het adres van mijn vriendin (dat schrijf ik onder aan deze brief). U zult wel geen internet hebben, maar voor de zekerheid zal ik ook mijn e-mailadres even opschrijven.
Ik hoop dat u niet geschrokken bent van deze brief. Natuurlijk heb ik nog wel een heel belangrijke vraag voor u, en om deze vraag schrijf ik u eigenlijk deze brief: hoe

waren opa's gevoelens voor u? Heeft hij u teruggeschreven?

Groetjes,
Brid Koperdraad
B.Koperdraad@hotmail.com

Brid legt haar pen neer. Het is voor het eerst in een lange tijd dat ze met de hand een brief schrijft. Snel leest ze hem nog een keer aandachtig door en stopt hem dan in een envelop. Postzegel erop, klaar. Niet meer twijfelen.

Op de fiets sjeest ze naar de eerst de beste brievenbus. Vlak voordat ze de brief door de gleuf laat glijden, houdt ze even stil. Kan ze dit wel maken? Stel dat haar ouders erachter komen? Of dat Anne van schrik een hartaanval krijgt?

'Doe maar Brid, het is goed,' klinkt opa's stem ineens in haar hoofd.

Brid blijft stokstijf staan. Nu had ze al helemaal niet verwacht dat opa iets zou zeggen.

'Goed dat je die brief hebt geschreven,' gaat opa's stem door. *'Grote meid.'*

Brid moet lachen. Hoe lang zal opa dit nog tegen haar zeggen – tot ze tachtig is?

Met een zucht laat Brid de brief door de smalle opening glijden.

'Oké opa, als u het zegt.'

Spontaan besluit ze om even langs Rays atelier te gaan. Ze is er al een tijd niet geweest.

De achterkant van zijn atelier, nog geen tien minuten

fietsen van hun huis, komt uit op een klein steegje. Brid zet haar fiets tegen de muur op slot.

RAY KOPERDRAAD staat er in kleine strakke letters op de muur naast de deur. Soms laat Ray mensen die belangstelling hebben voor zijn sculpturen via de achterkant naar binnen, zodat ze niet door de fotostudio hoeven, die hij ook wel eens verhuurt aan andere fotografen.

De achterdeur heeft een klink. Hij zit niet op slot, merkt Brid. Ze loopt de kleine, knusse ruimte binnen. Aan de muur hangen planken waarop zijn kleinere sculpturen staan. In het midden van de ruimte werkt hij aan zijn nieuwste creatie. Ray heeft erover verteld. Serenity heet die. Het is Rays grootste sculptuur tot nu toe.

'Wauw…' fluistert Brid bewonderend. Van zowel dikke als dunne koperdraden heeft hij het silhouet gemaakt van een vrouwenfiguur. Haar houding straalt zowel kracht als rust uit. De rust waar Brid soms zo naar kan verlangen in haar hoofd, en die ze met hardlopen altijd hoopt te vinden.

Net op het moment dat ze haar mond wil opendoen om haar vader te roepen, hoort ze vanuit het aangrenzende fotoatelier een vrouwenstem overslaan. 'Uit? Hoe kan je dat nou zeggen? Je was toch ook verliefd op míj?'

'Met de nadruk op wás, ja,' klinkt Rays stem gedecideerd. 'Dit was fout. Ik hou van Helena. Ik wil dit niet meer. Het spijt me, het is uit. Écht uit. Ik kies voor mijn gezin.'

Brid deinst naar achteren.

Papa?

Haar hart slaat over. Ze voelt zich misselijk worden. Met ingehouden adem leunt ze even tegen de deurpost. Dan doet ze muisstil de deur achter zich dicht.

Met trillende vingers haalt ze haar fiets van het slot. Door een waas van tranen racet ze terug naar huis.

Ineens vallen alle puzzelstukjes in elkaar: de keer dat hij pas na vier keer zijn telefoon had opgenomen toen opa dood was... Elke keer dat hij laat thuis was. Elke keer dat hij zei dat hij zogenaamd 'iets moest afmaken' of dat een opdracht 'veel werk' was.

Wat nou, veel werk! Ja, een minnares erop na houden, is inderdaad veel werk!

Brid laat zich voorover op haar bed vallen en barst in huilen uit.

Ik wil hem nooit meer zien! Ik haat hem, IK HAAT HEM!

Maar op het moment dat ze die woorden denkt, weet ze al dat ze niet waar zijn...

32

Aan: Mia
Van: Brid

Lieve Mia,

Wat een zootje!
Ik weet bijna niet hoe ik dit moet schrijven, ik ben zó kwaad. Hoe kan hij dat nou doen, de zak! Ik heb nooit wat in de gaten gehad. Mama volgens mij ook niet. Ik durf het aan niemand te vertellen, maar ik moet het kwijt: papa heeft een verhouding gehad met een andere vrouw…
Was ik maar niet onverwacht naar zijn atelier gegaan. Dan had ik het niet geweten. Maar ik ging wel. En toen hoorde ik dat Ray het met die vrouw uitmaakte. Ik ben meteen weggegaan. Ray weet dus niet dat ik het heb gehoord…
'Wat niet weet, wat niet deert,' zegt Helena wel eens. Ik hoop dus maar dat zij er nooit achter komt. Maar nu zit ik dus met dit geheim opgescheept. Ik weet niet of ik daar zin in heb! Ik ben zo kwaad, verdomme!
Sorry dat ik jou hiermee lastigval, maar ik zou zó graag even met je willen praten, ik heb het gevoel dat ik stik...

Liefs,
Brid

Nog geen twee minuten later gaat Brids mobiel.

Mia leest ze in het schermpje.

'Dan kost het me maar een bak vol beltegoed,' zegt ze als Brid opneemt. 'Vertel het me, lieverd, vertel me alles.'

Nadat Brid heeft opgehangen, loopt ze naar buiten, zoekt een donkere kiezelsteen uit de achtertuin en houdt die in haar handpalm. Even richt ze al haar aandacht op de steen, en in gedachten probeert ze er al haar woede op Ray in te stoppen. Dan neemt ze het deksel van de verweerde regenton die in een hoek van de tuin staat, haalt diep adem en houdt de steen boven het wateroppervlak. Een kort moment sluit ze haar ogen en zegt stil in haar hoofd: *'Met deze steen gaat woede heen, water bindt 't, niemand vindt 't.'*

Dan gooit ze de steen in het water. Kringen vloeien naar de rand van de regenton. Na een poosje ziet ze het water weer tot stilstand komen. Ook haar ademhaling wordt langzaam weer rustig.

Of het dit heksentrucje is dat ze net van Mia heeft geleerd, of dat het komt door het telefoongesprek dat ze met elkaar hebben gevoerd, weet Brid niet. Het doet er ook niet toe. Hoe vreemd het ook lijkt, haar ergste woede lijkt door het troebele regenwater te zijn geabsorbeerd.

Met een peinzende blik en haar handen in haar zakken loopt ze terug naar binnen. Met de kiezelsteen op de bodem van de regenton in gedachten...

Twee dagen later, op zaterdag, belt Mia aan. Ze was toch al van plan geweest om gauw weer eens naar Amsterdam te komen, had ze gezegd, en het telefoontje met Brid had haar doen besluiten om van dat 'gauw' 'meteen' te maken.

Mia houdt Brid even stevig vast en geeft haar dan een dikke kus op haar wang.

Brid moet moeite doen om niet weer in huilen uit te barsten, maar Helena is thuis en ze moet zich groothouden. Snel veegt ze een traan weg.

'Gaat het wel?' fluistert Mia nog net voordat Helena de gang inkomt om haar te begroeten. Brid knikt en haalt even diep adem.

'Mia, schat, wat leuk om je te zien!' Helena geeft Mia een knuffel en neemt haar jas aan.

'Wat een leuke outfit!' roept Helena meteen enthousiast.

Mia is vandaag in het donkerpaars gehuld.

'Gaan we op de vrolijke toer?' merkt Brid droogjes op.

Mia grijnst. 'Valt het op?' Ze draait een rondje om haar as. 'Nee, geen zwart meer,' zegt ze. 'Na een jaar kreeg ik weer behoefte aan een beetje kleur.'

'Nou, kléúr...' zegt Brid.

Mia kijkt haar opgewekt aan. 'Van zwart naar oranje leek me een al te grote overgang,' zegt ze. 'Langzaam wennen.'

Brid bestudeert haar gezicht. Ze heeft geen kohllijntjes meer om haar ogen, wat haar blik zachter maakt. Ook haar lippen zijn in een lichtere kleur gestift. In haar zwarte haar heeft ze donkerrode strengen geverfd.

'Jullie willen zeker bijkletsen op Brids kamer?' zegt Helena.

'Goed geraden,' zegt Brid, en ze trekt haar nicht mee de trap op.

'Dus eerst opa met zijn verboden liefde en nu papa ook nog,' zegt Brid zachtjes.

'Verboden... Zie jij dat zo?'

Brid zucht. 'Nou ja, geheim dan. Hoewel,' zegt ze er strijdlustig achteraan, 'ik zou overspel graag verboden willen noemen, zeker als het om je eigen vader gaat.'

Ze kan het zich nog steeds niet voorstellen. Ze weet heus wel dat dit soort dingen gebeurt, waarschijnlijk vaker dan ze zich realiseert, maar je eigen vader, *come on.*

Mia steekt een kaars aan en staart een kort moment zwijgend in de vlam. 'Wat ga je doen? Ga je het er met hem over hebben?'

Vertwijfeld schudt Brid haar hoofd. 'Ik denk het niet.'

'Maar je kunt hier toch ook niet mee rond blijven lopen?'

Brid zucht. 'Nee...'

Sinds Brid haar vader het heeft horen uitmaken met een voor haar onbekende vrouw, een vrouw met een hoge, overslaande stem, heeft ze een onbestemd gevoel in haar maag. Aan de ene kant is ze blij dat hij het uitmaakte, maar toch... Stel je voor dat ze hen had horen seksen, ze moet er niet aan denken.

'Ik zal je wat vertellen,' zegt Mia ineens. 'Hoewel ik niet weet of het verstandig is.'

Brid kijkt haar verwachtingsvol aan. Een geheim, gaat Mia haar een geheim vertellen?

Mia heeft ineens een vertwijfelde blik. 'Ik heb ook iets gehad met een getrouwde man,' zegt ze dan plompverloren.

Haar woorden blijven in de lucht hangen als een vliegtuig dat een noodlanding moet maken, maar nog niet precies weet waar.

Het duurt even voordat Mia's bekentenis volledig tot Brid doordringt.

Dan kijkt ze Mia aan. 'Een getrouwde man? Waarom?'

'Ik werd verliefd op hem,' legt Mia uit. 'En hij op mij. Zo simpel kan het soms zijn.'

'Maar zijn vrouw dan? Hebben ze kinderen? Was hij veel ouder dan jij? Hoe lang heeft het geduurd?' Brid lijmt al haar vragen aan elkaar vast en spuugt ze er in één keer uit.

'Zijn vrouw weet het niet, ze hebben geen kinderen, hij is twaalf jaar ouder dan ik en het heeft een jaar geduurd,' antwoordt Mia kort en krachtig.

Brid is er stil van.

'Ik wist natuurlijk van tevoren dat hij niet bij zijn vrouw weg zou gaan,' zegt Mia. 'Dat had ik ook niet gewild. Hij houdt van haar, dat weet ik, meer dan van mij... En toen maakte hij het dus uit. Net als jouw vader met zíjn maîtresse.'

Brid trekt een vies gezicht. Maîtresse, gatver, wat klinkt dat smerig.

Mia pakt haar flesje lavenldolie uit haar tas en laat voorzichtig een druppel op de binnenkant van een van haar polsen vallen. Met een bedachtzame blik wrijft ze haar polsen voor haar gezicht tegen elkaar en snuift de geur diep op. Dan maakt ze met haar armen een paar cirkelbewegingen rond haar hoofd, alsof ze dat zo wil bevrijden van alle nare gedachten.

Dan legt ze haar handen in haar schoot en ademt een keer diep in en uit. 'Toen jij mij mailde, had Kevin het net met mij uitgemaakt. Op precies dezelfde dag als jouw vader met zijn vriendin.' Ze kan een triomfantelijk lachje niet onderdrukken. 'Dát is nou synchroniciteit, snap je?'

'Jemig,' mompelt Brid, wie het zo langzamerhand duizelt. Soms wou ze dat ze acht jaar had kunnen blijven. Al die volwassen relatiestrubbelingen vindt ze maar ingewikkeld. Met een zucht staat ze op. 'Thee?'

Brid laat Mia de brief van Anne aan opa lezen. En ze vertelt over haar eigen brief aan Anne.

Dan praten ze.

Over de liefde, over het leven, over de dood.

Over vreemdgaan, over scheiden, over levenslange relaties.

Over hetero zijn, of bi, of homo.

Over ouders, over opa's en oma's en over familiebanden.

In drie uur tijd leren ze elkaar beter kennen dan in al die jaren daarvoor. Toch lijkt het alsof ze eigenlijk alles al van elkaar wisten, alsof er alleen nog een dunne sluier tussen hen zat, die ze nu in één soepele beweging weg kunnen nemen.

'Maar wat moet ik nou met papa?' verzucht Brid.

'Laat het maar even,' stelt Mia voor. 'Er komt vanzelf een oplossing.'

Brid wou dat ze haar kon geloven. En dat ze in staat was het te laten rusten.

Ze zucht. Heeft ze dat geduld wel? Kómt er wel een oplossing?

En durf ik het aan Menno te vertellen?

33

Oké.
We hebben dus een dode opa die vroeger misschien even homo was, een vader die overspel heeft gepleegd en een nichtje van negentien dat een verhouding heeft gehad met een getrouwde man van in de dertig...
En hoe gaat het nu met mij? Ik weet het eigenlijk niet. Het is zoveel allemaal.
Papa ziet er een beetje zenuwachtig uit. Maar ik weet niet of ik me dat verbeeld.
Mama heeft het heel druk met haar werk en lijkt niks in de gaten te hebben. We zijn gisteren samen naar de stad geweest om nieuwe kleren te kopen en toen hebben we ook geluncht. Het was heel gezellig. We hebben het over van alles gehad. Maar niet over dat ene natuurlijk, want dat weet mama niet. Ik vind het vreselijk om dit geheim te hebben. Ik weet niet hoe lang ik dit volhoud...
Ik heb het ook niet aan Emma verteld. Ik schaam me. Ik wil niet dat ze nu anders naar Ray gaat kijken. Als een overspelige vader. Of naar mij als dochter van een overspelige vader. Hoewel, ik kan daar toch niks aan doen?
En wat moet ik met Menno? Hij vroeg me wat er was, hij is ook niet achterlijk natuurlijk. Maar ineens weet ik het al-

lemaal niet zo goed. Kan ik hem wel vertrouwen? Ik ontwijk hem een beetje, we spreken niet zo vaak af in het park. Ik heb een paar keer gezegd dat ik me niet zo lekker voelde. Maar daar trapt hij vast niet lang meer in...

Brid laat een druppel lavendelolie in haar hand vallen. Ze vouwt haar hand tot een kommetje, sluit haar ogen en neemt de geur diep in zich op.

My mind is clear, my mind is free, a peaceful place inside of me...

Dit keer helpt het niet. Ze blijft zich nerveus en onrustig voelen. Hetzelfde gevoel als je kunt hebben als je ineens je portemonnee niet kunt vinden. Meestal gaat zo'n gevoel weer over, zelfs als je je portemonnee niet vindt en hij echt kwijt blijkt te zijn. Maar nu blijft de paniek hangen, en dat terwijl haar portemonnee gewoon in haar tas zit. Brid is dan ook haar portemonnee niet kwijt, maar het vertrouwen in haar vader. En misschien ook wel het vertrouwen in de liefde...

Haar blik wordt naar de hutkoffer getrokken. Die is nog steeds leeg. Ze weet niet wat ze erin moet stoppen. Sinds die brief al helemaal niet meer. De koffer is gevuld met een geheime liefde. Daar past niks meer bij.

In een poging haar onrust te verdrijven, opent ze haar mail. Misschien is er wel een berichtje van Mia, of misschien is Menno online en kunnen ze even chatten.

Er is geen mail. En Menno is niet online. Ze wil net haar laptop uitzetten, als er een nieuwe mail binnenkomt. Zodra ze de naam van de afzender leest, slaat haar hart over...

Aan: B.Koperdraad@hotmail.com
Van: A.Oldenzeel@yahoo.com

Beste Brid,

Ik was heel erg blij met je brief. Je bent nog zo jong en je begrijpt al zoveel. Je hebt vast wijze ouders.
Ik heb heel lang met dit geheim rondgelopen. Ik hield echt van je opa. Maar in die tijd kon dat niet. Zeker niet voor iemand die een roeping had, zoals ik.
'Bijzondere vriendschappen', zoals dat toen heette, waren verboden. Daar werd op kostschool en later, op het seminarie, ernstig voor gewaarschuwd. Homoseksualiteit was een woord dat niet werd gebruikt. Alles werd vroeger in bedekte taal gezegd.
Ik ben nu tachtig, ik was een jaar ouder dan je opa. Maar zoals je ziet, ben ik met mijn tijd meegegaan. E-mail vind ik een geweldige uitvinding. Ik heb vrienden in Amerika en het is heel fijn om op deze manier met hen contact te houden.
Ik zal je niet langer in spanning laten en je antwoord geven op je brandende vraag: je opa heeft wel op mijn brief geantwoord, maar het was niet het antwoord waarop ik diep vanbinnen had gehoopt... Hij hield van me als vriend, maar die ene keer dat we zo heel voorzichtig 'bij elkaar' waren geweest, was voor hem niet omdat hij verliefd op mij was, maar uit eenzaamheid. In mijn hart wist ik dat natuurlijk wel. Ik moest sterk zijn. Het was een test. Een heel belangrijke test.
Ik heb het nog een jaar volgehouden in het klooster. Daarna ben ik er weggegaan en ben ik, net als jouw opa, geschiedenis gaan studeren. Na mijn studie heb ik een hele tijd in Amerika gewoond en gewerkt.

Ik ben nooit getrouwd en heb tot mijn grote spijt dus ook nooit kinderen gekregen. Ik kwam niet onder mijn geaardheid uit. Ik heb wel geprobeerd om relaties met vrouwen te hebben, maar die hielden geen stand.
Pas veel later, toen ik weer in Nederland woonde, heb ik een vriend gekregen. Ik ben heel gelukkig met hem geweest. Vijf jaar geleden is hij helaas gestorven.
Het overlijden van jouw opa las ik in de krant. We hadden al jaren geen contact meer. Toen je opa trouwde, is onze vriendschap verwaterd. Het was te moeilijk voor mij. Jouw opa was mijn grote liefde. Dat is nooit veranderd. Maar Onze Lieve Heer had andere plannen met ons. Daar hebben we aan te gehoorzamen.
Ik vind het heel dapper dat je mij hebt geschreven. Dat raakt me diep.
Ik beloof je dat ik het niet aan je moeder zal vertellen (zoals je weet heb ik binnenkort een afspraak met haar).
Ik hoop dat deze brief je hart weer een beetje rust geeft.

Hartelijke groeten,
Anne Oldenzeel

PS: Ik geloof inderdaad in Maria. Ik denk dat je grootouders het prima naar hun zin hebben bij haar. Maar dat weet ik pas echt zeker op het moment dat ik me bij hen zal voegen…

De laatste regels leest Brid door een waas van tranen.

Even blijft ze roerloos zitten. Dan staat ze langzaam op en pakt boven uit haar kledingkast de grote plastic zak waar ze haar oude knuffels in bewaart. Een voor een haalt ze de knuffels eruit en zet ze zorgvuldig tegen elkaar in de hutkoffer. Haar lievelingsaap op de voorste rij, samen met de witroze olifant.

Het deksel van de koffer laat ze openstaan.

Dan mailt ze Mia.

34

Aan: Brid
Van: Mia

Sweety,

Wat een supermooie mail van Anne Oldenzeel! Dank je wel dat ik hem mocht lezen. Ik was helemaal ontroerd, ik moest er zelfs van huilen, jij ook?
Wat goed dat je hem hebt geschreven. Nu weet je tenminste hoe het zat. En tegen Helena moet je maar net doen of je neus bloedt, of het misschien later nog eens vertellen als thuis alles weer wat rustiger is...
Heb je nog met je vader gepraat?
Ik zie nu wel in dat het niets had kunnen worden met mijn 'verboden liefde'. We hebben nog wel contact gehad, maar het is nu over en uit. Toch heb ik er geen spijt van dat het gebeurd is. Ik heb er veel van geleerd, hij ook (dat vertel ik je live nog wel eens, dat duurt nu te lang).
Dat wilde ik je nog zeggen, over je vader: het is misschien geen leuk idee voor jou dat hij stiekem een vriendin had, maar hij heeft wel heel bewust voor je moeder (en voor jou) gekozen!

Je zult zelf misschien ook nog wel eens verliefd zijn op twee jongens tegelijk (of op een meisje en een jongen – nog ingewikkelder!). Daar kun je niets aan doen. Als dat nog eens gebeurt, dan weet je dat je het tegen mij kunt zeggen. Ik vind het helemaal niet raar.
Ik hoop dat het goed met je gaat. Mail je me?

Knuffel,
Mia

Met een nadenkende blik blijft Brid naar het beeldscherm staren.

Mia heeft gelijk, liefde kun je niet dwingen. Alleen zou het stukken handiger zijn als ouders dat wél zouden kunnen. Dan had ik dit gedoe niet aan mijn hoofd. Als ik nog eens verliefd ben op twee jongens (of op een jongen en een meisje, hoewel ik me dat helemaal niet kan voorstellen), dan hoop ik dat ik daar eerlijk over durf te zijn. Of dat het gewoon snel weer overgaat. Het lijkt me ingewikkeld. Voor papa is het dat natuurlijk ook geweest. Wel goed van hem dat hij een keuze heeft gemaakt. Hoe lang zal hij met die vrouw zijn geweest?

Brid probeert haar gedachten uit haar hoofd te schudden. Ze wil hier helemaal niet over hoeven nadenken. Ze wil dat het weg is, dat het nooit gebeurd is, dat ze haar vader niet met argusogen hoeft te bekijken. Maar dat doet ze wel. Ze is niet boos meer, maar ze bekijkt hem wel argwanend.

En hij ziet dat aan mij, ook al wil hij dat niet laten blijken.

'Em?'

'Mm-mm?' Geconcentreerd doopt Emma het kwastje in

een potje nagellak en strijkt ermee over haar duimnagel. In vloeiende bewegingen lakt ze in hoog tempo alle vijf haar nagels bruin. Dan is haar linkerhand aan de beurt. Brid bewondert haar handigheid. Háár zul je nooit met nagellak zien. Veel te veel gedoe. Bij Brid zou alles onder de lak zitten, haar vingers, haar kleren, haar haar, maar niet haar nagels.

'Em?' vraagt Brid opnieuw.

Nu kijkt Emma op. 'Ja?' zegt ze, terwijl ze het kwastje weer in het flesje nagellak terugzet en het dichtdraait. Ze wappert met haar handen heen en weer en kijkt Brid vragend aan.

'Kun jij je voorstellen dat je op twee mensen tegelijk verliefd zou zijn?' vraagt Brid.

Emma schiet in de lach. 'Hoe kom je daar nou weer bij?' Met een ondeugende blik blaast ze over haar nagels. 'Je wilt toch niet zeggen dat je naast Menno ook op iemand anders verliefd bent?'

'Tuurlijk niet, ik was zomaar nieuwsgierig.'

'Jij bent nooit zomaar nieuwsgierig,' reageert Emma. 'Vertel op.'

Brid haalt haar schouders op. 'Ik las er iets over en toen dacht ik...'

'Jij las ergens iets over,' onderbreekt Emma haar. 'Nee mevrouw, daar kom je niet mee weg. Gaat het soms over Kot en zijn minnares?'

Kot is sinds kort weer terug. Hij zag er moe uit, maar er ging ook een soort opluchting van hem uit.

Brid keurde hij geen blik waardig. Hij leek haar zelfs te ontwijken. Maar achter die zogenaamde koele onverschilligheid bespeurde Brid een wirwar van gevoelens.

Ze had geen visioen gekregen, maar ze had wel gezien dat de aura van Kot niet meer bruin was. Er zat zelfs een beetje kleur in.

'Inderdaad,' zegt Brid snel. 'Het gaat over Kot.' Eigenlijk had ze over Ray willen beginnen, en over Mia en haar geheime lover, maar op het laatste moment aarzelt ze. Ze is blij dat Emma over Kot begint, en grijpt dat met beide handen aan om net te doen of ze het inderdaad over hem wilde hebben.

Ineens, alsof het nu pas kan, alsof er niet eerder een geschikt moment voor is geweest, ziet ze Kot, in een flits.

Kot en de vrouw met het lange bruine haar.

Hij duwt haar voort, in een rolstoel...

Er glijdt een rilling langs Brids ruggengraat. Geen rilling van afschuw, maar van verbazing.

Kot houdt heel van deze vrouw, voelt ze, meer dan van zijn vrouw.

Kot had voor de liefde durven kiezen. Ook al ging zijn vriendin misschien dood.

Even moet Brid naar woorden zoeken. Dan zegt ze, met haperende stem: 'Ik denk dat Kot voor zijn vriendin heeft gekozen.'

Emma trekt haar wenkbrauwen op. 'Hoe weet je dat?'

'Ik zag het,' zegt Brid zo achteloos mogelijk, alsof dat al een tijdje terug was geweest en niet net, drie seconden geleden...

'Jeetje,' zegt Emma. 'Zag hij er daarom zo opgelucht uit?'

Brid kijkt haar verrast aan. 'Heb jij dat ook gezien?'

Emma knikt. 'Volgens mij kon een blinde dat nog zien.'

Opeens springt Emma op en ze trekt een plastic zak onder haar bed vandaan. 'Vergeet ik nóg het je te geven!' Ze haalt een trui tevoorschijn, de groene met het ingewikkelde meanderpatroon. 'Voor jou,' zegt ze. 'Als je hem wilt tenminste,' zegt ze er snel achteraan.

Vaak besluit Emma pas op het laatste moment wat ze met een breiwerk wil doen en aan wie ze het wil geven.

'Echt?' zegt Brid, die al eerder een trui van Emma heeft gekregen, maar die per ongeluk gekrompen is in de was en zo meer een poppentrui is geworden. 'Wat is-ie mooi geworden!' Ze trekt de trui over haar hoofd en gaat voor de spiegel staan.

'Wauw,' zegt Emma.

'Wauw,' zegt Brid.

En daar is geen woord te veel mee gezegd.

Ik wilde het aan Emma vertellen, van Ray.
Maar op het laatste moment heb ik het toch niet gedaan.
Ik weet niet waarom.
Ja, ik weet het wel: ik schaam me...
Menno weet ook nog steeds van niks. Ik ben nog maar net met hem, dan ga ik toch niet vertellen dat ik een vader heb die vreemdgaat?
Ik wil dit niet!
Ik wil dat het over is, ik wil dat het nooit is gebeurd, ik wil dat Ray van mama houdt. Ook als hij even niet van haar houdt...

35

Brid ligt in bed. Het is al halftwaalf. Ze is tegelijkertijd doodmoe en klaarwakker.

De afgelopen dagen heeft ze er al een paar keer met Ray over willen beginnen, maar telkens durfde ze het niet.

Ze draait zich op haar zij.

Beneden hoort ze de deur van de woonkamer opengaan. Onwillekeurig opent Brid haar ogen. Gek, denkt ze, die deur is anders nooit dicht.

Ze hoort Ray naar de keuken lopen en de koelkastdeur opentrekken.

'Dat had je toch van tevoren wel kunnen bedenken?' roept Helena vanuit de woonkamer. Ze klinkt geëmotioneerd.

'Sst!' fluistert Ray, terwijl hij zichzelf iets te drinken inschenkt. 'Brid slaapt...'

Brid gaat recht overeind zitten en spitst haar oren. Ze vangt wel vaker per ongeluk gesprekken op, maar op de een of andere manier weet ze dat het deze keer over iets gaat dat écht niet voor haar oren bedoeld is...

Ze hoort Ray teruglopen naar de woonkamer. Hij vergeet de deur achter zich dicht te doen.

Brid glipt uit bed en trekt haar deur iets verder open. Ze houdt haar adem in.

'Hoe kon ik nou weten dat ze zo zou reageren?' hoort ze Ray zeggen. 'Het heeft veel te kort geduurd om serieus te zijn.'

'Wat is kort?' hoort Brid haar moeder vragen.

Het blijft stil.

'Nou?' dringt Helena aan. Haar stem trilt.

Ray zegt iets, maar zijn stem wordt overstemd door een loeiende brandweersirene.

'Twee maanden maar?' hoort ze Helena dan roepen. Haar stem slaat over. 'En dan gaat ze mij lastigvallen?'

Brid schrikt.

Heeft die vrouw mama lastiggevallen?

'Ja, verdomme nog aan toe,' zegt Ray geïrriteerd, 'dat had ik natuurlijk ook nooit verwacht. Ze wist dat ik nooit voor haar zou kiezen, dat wist ze van tevoren.'

'Allemachtig!' roept Helena geïrriteerd uit. 'Je wéét toch hoe vrouwen in dit soort situaties kunnen zijn? Je loopt toch al langer mee dan vandaag? Wat kun jij toch naïef zijn.'

Even is het stil.

'Je moet haar écht duidelijk maken dat het over is,' hoort Brid haar moeder dan zeggen.

'Héb ik gedaan,' reageert Ray fel. 'Meerdere keren zelfs, maar kennelijk zit er stopverf in haar oren.'

Brid bijt op haar lip. Het is waar. Zij was erbij. Ray had gemeend wat hij zei, dat had ze gevoeld.

Weer is het even stil.

'Hoe kon je op zo'n *stupid bitch* vallen?' roept Helena dan uit. Haar stem slaat over. 'Dát vind ik nog het ergste, dat het zo'n dombo is!'

Opnieuw realiseert Brid zich dat het enige wat ze van die

vrouw kent, haar stem is. Helena noemt haar een 'dombo'. Kennelijk weet zij wie het is...

Ineens moet Brid ontzettend nodig plassen. Zachtjes doet ze haar deur verder open en loopt op haar tenen de gang op.

'Brid?' klinkt Helena's stem vertwijfeld.

Nog geen seconde later staat Helena onder aan de trap. 'Was je nog wakker?'

Brid kan niet liegen. Ze knikt.

'Shit...' hoort Brid Helena zeggen, terwijl ze naar de wc op de bovenverdieping loopt.

Ze twijfelt. Zal ze net doen of ze niks heeft gehoord?

Maar nadat ze heeft doorgetrokken, lopen haar benen als vanzelf naar de trap. Alsof er touwtjes aan haar benen zitten die iemand anders bestuurt.

Alle treden af. Naar de woonkamer.

'Ik wist het al,' zegt ze als ze in de deuropening staat. Ook haar woorden komen eruit alsof haar mond door een poppenspeler wordt bediend. 'Ik heb papa betrapt.'

Rays mond valt open. Zijn gezicht kleurt rood.

Helena's huidskleur schiet de tegenovergestelde kant op: zij wordt lijkbleek.

Brid kijkt haar vader strak aan. 'Ik was erbij, in het atelier.'

Ray wordt nog roder. Hij begint te stotteren. 'E-erbij?'

'Ja,' zegt Brid. 'Toen je het met haar uitmaakte.'

Het was vast niet zijn bedoeling om zijn opluchting te laten blijken, maar de zucht die hij slaakt, laat niets te raden over.

'Ben je blij?' zegt Brid op bitse toon. Ze ploft op de bank neer. 'Was je bang dat ik jullie had gezíén?' Haar stem klinkt spottend. 'Als jullie het met elkaar déden, had je de deur toch wel op slot?'

Ray slaat zijn handen voor zijn gezicht. Als er een gat in de grond had gezeten, had hij daar ongetwijfeld ter plekke in willen zakken.

Brid kijkt hem smalend aan.

Met je minnares betrapt worden door je eigen dochter – nee, dat is vast niet leuk.

'Ik... eh...' stamelt Ray, terwijl hij met een nerveus gebaar over zijn voorhoofd strijkt.

Helena kijkt Brid aan. 'Heb je haar gezien?'

Brid schudt haar hoofd. 'Alleen gehoord. Ik ben meteen weer weggegaan.'

Helena pakt Brids hand en strijkt er zachtjes met haar duim overheen. 'Hoe lang loop je hier al mee rond?'

Stug haalt Brid haar schouders op. 'Een week of zo.'

Ray kucht ongemakkelijk.

Ja, kuch jij maar ongemakkelijk, denkt Brid. En voel je maar heel erg schuldig. Net goed.

Helena slaat een arm om Brid heen. 'Die vriendin van papa heeft me vandaag gebeld,' legt ze uit. 'Met de mededeling dat Ray van haar houdt en bij mij weggaat.'

Brids ogen puilen bijna uit haar oogkassen van verbazing. 'Echt? Wat een trut!'

'Inderdaad, een enorme trut,' beaamt Ray meteen, alsof hij de zaak daarmee wil afdoen en het er daarna nooit meer over wil hebben.

Hij komt er niet mee weg.

'Maar wel lekker genoeg om mee vreemd te gaan,' bijt Helena hem toe.

Ray klemt zijn lippen op elkaar. Hij ziet eruit als een kleine jongen die een standje krijgt.

Brid heeft bijna met hem te doen. Tegelijkertijd kan ze hem wel slaan.

Kun je er iets aan doen op wie je verliefd wordt? Misschien niet, maar je hebt toch wel de keuze of je er iets mee doet of niet? Of is dat soms gewoon te moeilijk?

Brid denkt aan de getrouwde man met wie Mia een affaire heeft gehad. Ook hij was verliefd op twee vrouwen. Of hield hij van de ene en had hij gewoon een crush op de andere?

Ze grijpt met beide handen naar haar hoofd. Ze wil helemaal niet over deze dingen na hoeven denken. Ze wil gewoon dat haar ouders van elkaar houden en niet ook nog eens van iemand anders.

Ze recht haar rug. 'En nú wil ik weten wie het is,' flapt ze eruit.

Ray zet meteen zijn autoritaire blik op. 'Daar heb je niks mee te maken.'

Maar Helena denkt daar kennelijk heel anders over. Ze reikt naar de lectuurbak en vist er een glossy uit. 'Hier,' zegt ze, terwijl ze hem openslaat, 'derde van links.' Ze kijkt er bijna triomfantelijk bij, alsof ze een pact heeft gesloten met haar dochter en het nu twee tegen één is.

Op de foto die Helena aanwijst, ziet Brid een hoogblonde vrouw, compleet met verleidelijke glimlach en laag uitgesneden blouse.

'Die sóápactrice?' roept ze ontsteld uit. 'Die is nog hartstikke jong!'

'En ze is nog een ontzettend domme doos ook,' valt Helena haar bij.

'Ze is heus niet zo dom als je denkt,' verdedigt Ray zich zwakjes.

'Nee, nog dommer,' zegt Helena ad rem.

Ineens barst Brid in een zenuwachtig lachen uit. Ze kan het niet helpen. De spanning van de afgelopen week ontlaadt zich in een lachbui, totdat ze er tranen van in haar ogen krijgt.

Haar ouders kijken haar een beetje ongemakkelijk aan. Van hun gezicht valt twijfel af te lezen. Moeten ze met Brid mee lachen of moeten ze haar streng toespreken?

'Zijn jullie niet gefotografeerd door paparazzi?' zegt Brid nerveus giechelend. 'Straks kom ik je nog tegen in de bladen.'

Ray en Helena kijken elkaar een kort ogenblik aan.

Ze moeten lachen, ik zie dat ze moeten lachen. Maar Ray voelt zich daar te schuldig voor en Helena te trots...

Ineens dringt zich de herinnering aan de 'roze' mevrouw aan Brid op, toen ze als vierjarige kleuter met Ray bij de zandbak was. En toen Ray zich verstopte achter zijn krant en Brid niet naar die vrouw mocht wijzen...

Haar hart slaat over. Had haar vader misschien ook iets met díé vrouw gehad? Ze wil er niet aan denken. De gedachte alleen al maakt haar misselijk.

Met een zucht laat Brid zich achterover in de kussens van de bank vallen.

'Pff, wat ben jij een on-ge-loof-lijk stomme eikel.'

Zwijgend kijkt Ray haar aan. 'Je hebt gelijk,' geeft hij toe. 'Je hebt helemaal gelijk.'

Deel 3

36

Die ochtend had Brid in *De Kleine Prins* een stukje gelezen waarin de kleine prins aan de vos vroeg wat een rite was. De vos legde hem uit dat een rite de ene dag van de andere dag doet verschillen, en het ene moment van het andere.

Brid trekt de capuchon van haar sweatshirt omhoog.

Hardlopen is voor mij ook een beetje een rite. Een reinigingsrite om mijn gedachten te ordenen. Een rite die me rustig maakt. Zoals voor Emma breien een rite is om zich rustig te voelen. En voor mama schilderen...

Brid kijkt omhoog naar de strakblauwe hemel. Vandaag schijnt zelfs het weer genoeg te hebben van zijn eigen buien. Maar ondanks de fel schijnende zon, die overduidelijk haar best doet zoveel mogelijk warmte naar de aarde te sturen, is het koud. De ijzige wind blaast dwars door Brids sportkleren heen. Toch kon ze het, na dagen van bijna onafgebroken regen, niet laten om eindelijk haar hardloopschoenen weer eens uit de kast te trekken.

Dat er uitgerekend vandaag zo'n grote weeromslag is, vindt Brid wel heel toevallig.

Bijna té toevallig...

De stemming in huis was de afgelopen weken om te snijden geweest. Als Helena al iets tegen Ray zei, was dat kortaf en op een kribbige toon. Ze had opvallend veel avonden iets te doen gehad, waardoor het leek alsof ze het huis ontvluchtte. En als ze al thuis was, zat ze veel in haar werkkamer. Ray daarentegen was juist opvallend veel thuisgebleven en had het grootste deel van de tijd als een geslagen hond rondgelopen. Toch hadden ze allebei wel kans gezien om Brid veel aandacht te geven. Ieder apart waren ze naar haar kamer gekomen om haar een knuffel te geven en met haar te praten.

De aandacht die Helena en Ray niet aan elkaar schonken, leken ze in het geheel over hun dochter te willen uitstorten. Brid vond dat fijn en ongemakkelijk tegelijkertijd. Haar ouders spraken nauwelijks met elkáár, en dat was nu juist wat Brids het liefst zou willen. Want wat er ook was gebeurd, en of ze het nu wilden of niet: Brid zag nog steeds een roze gloed tussen hen oplichten. Ray en Helena schenen dat zelf niet in de gaten te hebben. Er zat van alles in de weg.

Trots.

Spijt.

Twijfel.

Brid versnelt haar pas en ademt in een ritmisch tempo in en uit.

In, uit.

In, uit.

Ook op school was het de afgelopen tijd moeilijk geweest. Ze kon zich nauwelijks concentreren. Omdat Mia met een vriendin in Moskou zat voor een korte stedentrip en Brid toch haar ei kwijt moest, had ze het verhaal over Rays affaire uiteindelijk aan Emma verteld. Emma was haar grote steun en toeverlaat geweest. Ze had geprobeerd Brid afleiding te bezorgen door haar mee naar de film te nemen en haar te trakteren op schuimende cappuccino's in de leukste tentjes van de stad, maar zelfs die goedbedoelde acties hadden Brids ongelukkige gevoelens niet weg kunnen nemen. Ze had zich alleen gevoeld. Alleen tussen twee ouders die van elkaar hielden, maar die allebei een muur om zich heen hadden opgetrokken waar ze allebei weigerden overheen te klimmen.

En dan was er ook nog Menno... Menno, van wie Brid helemaal vol was, maar die ze niet had durven vertellen over wat zich bij haar thuis afspeelde.

Je gaat je kersverse, zelfs nog geheime vriendje toch niet vertellen dat je vader vreemdgaat? Wat moest hij wel niet denken? En kon ze Menno wel vertrouwen? Zou hij niet bij de eerste de beste gelegenheid met een ander meisje aan het zoenen slaan in het fietsenhok en dan óók net doen of hij 'niet zo'n jongen was'? Was hij toch niet misschien net als alle andere jongens, die eigenlijk maar op één ding uit zijn? Deed hij net alsof dat niet zo was, juist om haar vertrouwen te winnen? En waarom wilde hij hun relatie eigenlijk geheimhouden? Heeft hij misschien ook iets geheims met iemand anders?

Brid zucht diep in en uit.

Bruggetje op.

Bruggetje over.

Bruggetje af.

Dit keer zijn er geen eenden om haar vrolijk toe te snateren.

Brid knijpt haar ogen even dicht. Ze wil niet meer denken, haar hoofd moet leeg.

Het lukt niet.

Gisteravond, toen Ray en Helena allebei thuis waren, had ze zich niet langer kunnen inhouden en had ze al haar gevoelens er in één keer uitgespuugd. Gevoelens die al veel te lang onder de stop van de fles hadden gezeten, en die op dat moment met zijn allen om voorrang vochten.

Brid versnelt haar pas.

Dwars over een grasveld.

Om de plassen heen.

In, uit,

In, uit.

En toch, ondanks de muizenissen in haar hoofd over Menno: als ze denkt aan gisteravond voelt het ineens alsof ze vleugels heeft. Alsof haar voeten het asfalt nauwelijks raken. Alsof ze dit uren kan volhouden zonder moe te worden.

Wat een opluchting was het geweest. Alles had ze eruit gegooid. Echt alles.

Ze was begonnen met haar ongelukkige gevoelens over haar vaders overspel. Dat ze zich daar onveilig over voelde. En dat ze zich juist veilig wilde voelen tussen twee ouders die van elkaar hielden. Daarna kon ze niet meer stoppen. Als een waterval stroomden de woorden uit haar mond. Over haar vroege herinneringen, over de groene ogen van oma die in haar wieg keken, over de stem van opa na zijn dood, over opa's afscheidsdroom die ze eerst vergeten was, over het zien van aura's en gekleurde wolken van licht tussen mensen, over meneer Kot – die na een paar weken op school geweest te zijn toch weer absent was geweest, en waarvan Brid voelde dat het te maken had met de zieke vrouw en zijn allesverterende schuldgevoelens. Ook vertelde ze haar ouders over Mia, over hekserij en over dat ze als klein meisje Helena's verdriet had gevoeld: verdriet over haar lege buik.

Als laatste gaf ze prijs dat ze een brief aan Anne had gestuurd (die Helena nog steeds niet had ontmoet, omdat ze door alle gedoe haar afspraak met hem had uitgesteld) en dat hij haar een e-mail had gestuurd. Dat ze om zijn woorden had moeten huilen. Dat ze daarna haar knuffels in opa's hutkoffer had gedaan, om met terugwerkende kracht het jongetje dat opa ooit was geweest een cadeautje te geven. Hoewel ze heus wel wist dat ze opa's geschiedenis daar niet mee kon veranderen, omdat je alleen je eigen geschiedenis kunt veranderen. Dat Mia haar had verteld dat dát pas ware magie is...

Terwijl Brid haar vaste route volgt, buitelen haar gedachten over elkaar heen.

Deze hardloopsessie lijkt niet op een rite om mijn hoofd leeg te maken. Deze lijkt een rite om alle gedachten die ik ooit heb gehad, bij elkaar op één hoop te gooien. Om ze daarna stuk voor stuk uiteen te rafelen en los te laten...

Ze denkt terug aan de vorige avond. Nadat ze alles aan haar ouders had verteld, had ze gezegd dat ze zich nog nooit zo rot had gevoeld. Niet omdat ze 'geen doorsneemeisje' was, niet omdat ze aura's kon zien, niet omdat ze contact had gehad met haar overleden opa of omdat ze herinneringen had aan haar babytijd. Nee, ze voelde zich rot om de situatie thuis, om ouders die niet tegen elkaar praatten. Ze vond dat afschuwelijk.

Toen haar woordenstroom eindelijk was opgedroogd en

ze langzaam was stilgevallen, had Helena haar in haar armen gehouden en haar gewiegd. Ray had haar zachtjes over haar hoofd gestreeld en haar sussend toegesproken. Hij moest huilen.

Ze waren heel dicht bij elkaar. Net zo dicht als in het rouwcentrum. Toen Helena met eigen ogen kon zien dat haar vader echt dood was…

Doordat Brids hoofd na haar monoloog eindelijk leeg was en er geen gedachten meer waren om uit te spreken, was er een deken van rust op haar neergedaald. Voor haar gevoel had ze voor het eerst in haar leven droomloos geslapen. Vanochtend was ze na negen uur ononderbroken slaap wakker geworden. Het zonlicht stroomde door een kiertje van de gordijnen haar kamer binnen. Nog voordat ze haar bed uit stapte, bespeurde ze al dat er een andere sfeer in huis hing. Lichter. Alsof niet alleen buiten de lucht was geklaard, maar ook binnen.

Toen ze de keuken binnenkwam, had Helena Brid bijna ongemakkelijk aangekeken, alsof ze zich ergens voor schaamde. Alsof ze vond dat ze voet bij stuk had moeten houden en haar trots niet had mogen laten varen, maar dat haar dat niet was gelukt. Ze hadden het weer goedgemaakt en ze hoefden dat niet hardop te zeggen. Het hele huis was ervan doordrongen.

Brid glimlacht.

Liefde laat zich niet dwingen, maar ook niet tegenhouden…

Langzaam vertraagt ze haar pas en kijkt glimlachend naar een groepje voetballende jongetjes. Ze zijn stinkend smerig, maar dat kan hun kennelijk niet schelen. Schaterend maken ze de ene na de andere sliding door de modder.

Bij een boom blijft Brid staan en stretcht haar kuiten. Ze sluit haar ogen en zucht diep.

Twee weken lang had ze spoken gezien. Spoken over een scheiding, over moeten kiezen bij wie ze wilde wonen, over trouw. Maar ze hoeft niet te kiezen. Het oude, opgeknapte schoolgebouw blijft haar thuis. Met een grote kamer die uitzicht biedt op de wild begroeide achtertuin, het park bijna om de hoek, Emma op vijf minuten fietsen afstand en school op nog geen tien.

Evenals Menno...

Terwijl ze haar benen stretcht, gaan haar gedachten naar Helena en haar expositie van boogschuttervrouwen die inmiddels is geopend en die zo'n succes is dat er al vijf schilderijen zijn verkocht. Niet het schilderij dat zo trots in Brids kamer hangt en dat ze van Helena heeft mogen houden.

Ineens schiet Brid in de lach. Ze is blij dat Helena niet het type vrouw is dat tijdens een huwelijkscrisis meteen haar koffers pakt en teruggaat naar haar moeder, zoals je in Amerikaanse speelfilms vaak ziet.

Ha ha, als mama terug zou gaan naar haar moeder, zou ze op het kerkhof moeten wonen!

Kwa-kwa-kwa!

Verrast draait Brid haar hoofd naar de waterpartij achter haar.

Een troep eenden komt luid snaterend voorbij. Het lijkt wel om een competitie te gaan: een eendensnatercompetitie. Alsof ze het leven één grote grap vinden en dat willen laten weten aan iedereen die daar oren naar heeft.

Grinnikend trekt Brid de capuchon van haar hoofd. Met snelle bewegingen haalt ze het elastiekje uit haar paardenstaart en schudt haar hoofd heen en weer. Haar roodbruine haardos zwiept vrolijk langs haar warme wangen.

Dan strekt ze haar armen boven haar hoofd uit, sluit haar ogen en zucht diep.

Met een slakkengangetje jogt ze terug naar huis.

Hun huis.

37

'Jeetje...' zegt Menno. Met een teder gebaar pakt hij Brids handen vast en hij kijkt haar verbaasd aan. 'Waarom heb je me dit niet eerder verteld?'

Brid slaat haar ogen neer. 'Ik durfde het je niet te vertellen. Ik schaamde me rot.'

Menno trekt haar handen naar zich toe en geeft er zachte kusjes op.

'Mijn lieve heksje, voor mij hoef je je toch niet te schamen?'

Brid bloost. Ze weet niet of dat is omdat hij haar 'mijn lieve heksje' noemt, of omdat ze zich nog steeds een beetje schaamt.

'Ik dacht...' stamelt ze. 'Ik dacht dat als je wist dat mijn vader...'

'Jij bent je vader toch niet?' onderbreekt Menno haar. Hij strijkt een pluk haar uit haar gezicht. 'En ik ook niet...'

Brid schudt haar hoofd.

Menno zucht. 'En ik al die tijd maar denken dat je me niet meer leuk vond, maar dat je me dat niet durfde te vertellen.'

Verschrikt kijkt Brid hem aan. 'Ik jou niet meer leuk vinden? Het liefst was ik elke avond bij je geweest, het liefst had ik je willen toeschreeuwen wat er allemaal gebeurde. Maar ik kon het niet, ik wist niet hóé...'

Menno slaat zijn armen om haar heen. 'Nu weet je wél hoe.'

'Ja,' zegt Brid met een zucht. 'Achteraf.'

Menno grinnikt. 'Beter laat dan nooit.' Hij geeft haar een kus.

'Maar nu is het dus weer goed tussen je ouders, begrijp ik?'

Brid knikt. 'Gelukkig wel. Maar...' Ze trekt een frons tussen haar wenkbrauwen.

'Niks "maar",' zegt Menno. 'Nú gaat het goed, daar gaat het om. Als je je druk gaat lopen maken over wat er later allemaal weer niet mis zou kunnen gaan, dan heb je geen leven.'

Brid lacht. 'Ben jij altijd zo positief?'

Menno schudt zijn hoofd. 'Maar bij jou wel,' zegt hij dan.

'En wij? Is het tussen ons ook goed?' vraagt Brid. 'Geen geheimen?' Ze kijkt hem strak aan.

Menno kijkt strak terug.

'Als je bedoelt wat je me daarnet al vroeg: heb ik een geheime liefde? Nee, nogmaals, ik heb geen geheime liefde. Als je bedoelt: zullen we stoppen met óns geheim? Ja, laten we daarmee stoppen.' Hij grijnst. 'Van mij mag iedereen het nu wel weten. Ik heb intussen wel zin in een beetje "geklets".'

Met zijn rug tegen de kastanjeboom geleund trekt hij Brid dicht tegen zich aan en streek haar nek en haar rug.

Brid sluit haar ogen.

Niet stoppen. Nog eventjes niet stoppen...

38

Aan: Brid
Van: Mia

Hi Brid,

Thanx voor je mail! Wat goed om te lezen dat je het allemaal tegen je ouders hebt gezegd! Het was vast niet makkelijk. Superdapper van je.
En top dat je ouders het weer hebben goedgemaakt. Dat kon ook bijna niet anders, ze passen gewoon te goed bij elkaar. Dat was bij Frans en Carina anders, die waren gewoon té verschillend. Dat werkte niet.
Wat dat aangaat passen Evelien en Frans beter bij elkaar. Natuurlijk hoop ik dat Carina ook nog eens een andere man tegenkomt, dat zou ik haar echt gunnen...
Zijn je ouders er trouwens van geschrokken dat je aura's ziet? Frans moest er in het begin wel aan wennen toen ik het hem vertelde. Niet omdat hij het raar vond, maar omdat hij ze zelf niet kan zien. Ik sprak laatst iemand in Londen die ervoor op een cursus is geweest. Je begint dan te oefenen op je eigen hand en dan moet je op een speciale manier kijken. Hij zag alleen een soort grijs lijntje. Dat heb ik nog nooit gezien, bij mij was alles meteen full colour.

In Moskou zag ik trouwens een man met een aura zo groot als een voetbalveld! Ik overdrijf natuurlijk, maar zo'n grote had ik nog nooit gezien. Zijn aura hing wel een paar meter om zijn lichaam heen. En weet je wat het grappige was? Iedereen keek naar hem, terwijl ik zeker weet dat lang niet iedereen zijn aura zag...
Moskou was trouwens geweldig, een prachtige stad, maar ik ben ook blij dat ik weer terug ben in Londen. Hier versta ik iedereen tenminste weer. Ik vind het fijn om ergens te zijn waar ik de taal spreek.
Wanneer kom je me nu eens opzoeken in Londen? Dat zou ik geweldig vinden.
O ja, na jouw mail zat ik trouwens nog te denken dat Helena gelukkig niet zo'n vrouw is die bij een huwelijkscrisis meteen haar koffers pakt om weer bij haar moeder te gaan wonen, zoals je in Amerikaanse films vaak ziet. Ze zou dan op het kerkhof moeten wonen, ha ha! Ik vond dat wel een goeie grap, of is-ie te hard?

Big hug,
Mia

Hoewel ze eigenlijk niet meer verbaasd zou hoeven zijn, leest Brid het laatste stukje tekst nog een keer. Mia lijkt echt wel gedachten te kunnen lezen.

Snel sluit Brid haar e-mailprogramma af en rent naar beneden. Bij Mia logeren in Londen, dat lijkt haar wel wat.

'Leuk, Londen!' roept Ray. 'Mag ik mee?'

'Nee,' zegt Brid meteen. 'Ik wil alleen.'

Vertwijfeld kijken Ray en Helena elkaar aan.

'Je bent pas veertien,' werpt Helena zwakjes tegen.

'Ik ben ál veertien,' zegt Brid beslist. 'Jullie brengen me naar Schiphol, Mia haalt me van het vliegveld op, en daartussenin zit een suf vluchtje van drie kwartier of zo. Wat kan er nou misgaan?'

'Hmm...' zegt Ray.

'Hmm...' zegt Helena tegelijkertijd.

'Dus het mag?' beslist Brid voor hen.

'Wat kost zo'n vlucht tegenwoordig?' vraagt Ray in een poging zijn beslissing nog even uit te stellen.

'Veel minder dan jij voor je vrouwensculptuur kan krijgen,' zegt Brid meteen. 'Dus je houdt geld over.'

Ray grinnikt. 'Nou, dat komt dan goed uit, want...' Dan houdt hij stil, alsof hij op het punt stond een geheim te verklappen en dat net op tijd binnen kon houden.

'Je hebt dus al een koper,' raadt Helena meteen.

Ray knikt.

'Wie?'

Ray zucht. 'Ik had beloofd dat ik het nog even geheim zou houden...'

'Geen geheimen meer in dit huis,' zegt Brid streng. 'Wie?'

Ray zucht weer. 'Frans...' zegt hij dan zachtjes.

Helena en Brid trekken allebei hun wenkbrauwen op. 'Frans?' zeggen ze tegelijkertijd.

'Huwelijkscadeautje...'

'Húwelijkscadeautje?' zeggen Helena en Brid weer tegelijkertijd.

Ray bijt op zijn lip. 'Hij gaat Evelien ten huwelijk vragen...'

'Wát?' Voor de derde keer op rij zeggen Brid en Helena precies hetzelfde.

Helena trekt haar wenkbrauwen op. 'Dus Frans wil met zijn liefje van de lagere school trouwen? Jeetje, wat snel...'

'Nou,' zegt Ray, 'dat heeft anders wel zo'n dertig jaar geduurd.'

Brid en Helena schieten allebei in de lach.

'Weet Mia het eigenlijk al?' vraagt Brid.

Vertwijfeld haalt Ray zijn schouders op.

Met een streng gebaar wijst Brid naar zijn mobiele telefoon. 'Frans bellen, nu.'

Mia zegt: Wat een smiecht dat hij me dat niet meteen heeft verteld! Papa hertrouwen, zo snel al, ik ben in shock!

Brid zegt: Hij wilde het natuurlijk niet aan de grote klok hangen omdat hij Evelien nog niet eens heeft gevraagd... Stel dat ze nee zegt?

Mia zegt: Dat doet ze niet.

Brid zegt: Hoe weet je dat?

Mia zegt: Guess...

Brid zegt: Je hebt een uitstapje gemaakt in haar hoofd...

Mia zegt: Yep, en ik zag alleen maar één groot JA. Ik kon echt niks anders vinden.

Brid zegt: Zeg het haar maar niet, en Frans ook niet. Ze moeten het zelf doen.

Mia zegt: Ha ha, je klinkt als een moeder, of een juf.

Brid zegt: Juf, brrr, moet ik niet aan denken. Moeder, hmm, misschien nog eens een keer. Never say never... Weet je wat stom is? Het lijkt me nog leuker om oma te zijn dan moeder. Dan heb je ze soms even te leen, en als ze te lastig worden, kun je ze daarna weer teruggegeven.

Mia zegt: Je hebt je eigen kinderen ook te leen.

Brid zegt: Hoezo?

Mia zegt: Hoe kan een kind nou 'van jou' zijn? Een kind is van zichzelf.

Brid zegt: Daar moet ik geloof ik nog even over nadenken...

Mia zegt: Doe maar. Trouwens, over oma's gesproken: weet jij eigenlijk hoe het met oma Mies is? Ik vind het heel erg van mezelf, maar na opa's begrafenis heb ik haar niet meer gezien.

Brid zegt: Logisch, je woont in Londen. Maar ik woon in Nederland en ik heb haar ook nog maar één keertje gezien... Het gaat geloof ik wel goed met haar. Ray en Helena hebben haar vorig weekend opgezocht. Hun eerste ritje met de Harley sinds het weer goed is tussen hen. Oma Mies is blij dat ze weer in haar eigen flat woont nu opa's huis zo langzamerhand is gestript. Zelfs de vloerbedekking is eruit gehaald, wist je dat?

Mia zegt: Ja, dat was nog een rotklus, hoorde ik van Frans. Het huis is nu helemaal kaal... Heb jij het al kaal gezien?'

Brid zegt: Nee, en ik weet ook niet of ik dat wil.

Mia zegt: Ik wel. Dan kan ik beter afscheid nemen. Het is niet meer opa's huis. Het is nu van niemand. En straks is het huis van andere mensen...

Brid zegt: Het koopcontract is toch al getekend? Dan is het huis nu toch al van die andere mensen?

Mia zegt: Pas als ze de sleutel krijgen, hun spullen erin zetten en ze het als hun huis inwijden. Eigenlijk zouden ze eerst in alle hoeken van het huis en over de hele vloer zeezout moeten strooien en dat de volgende dag opzuigen. Dat zuivert een huis van oude energie.

Brid zegt: Lees ik hier heksentaal?
Mia zegt: Ha ha. Ja.
Brid zegt: Kun je dat ook met andere dingen doen, reinigen met zout?
Mia zegt: Ja. Doe maar.
Brid zegt: Hoezo?'
Mia zegt: De hutkoffer bedoel je toch?
Brid zegt: *Jesus*, jij bent echt helderziend!
Mia zegt: Alleen als het te maken heeft met familie...
Brid zegt: En je hebt niet eens gezien dat Frans Evelien ten huwelijk wilde vragen?
Mia zegt: Nee, dat heb ik even gemist. Maar dat maakt mij weer mens, ha ha, anders werd het eng.
Brid zegt: En dan zou ik bang voor je worden...
Mia zegt: Dat moeten we niet hebben.
Brid zegt: Ik ga naar bed.
Mia zegt: Ik ook. Sweat dreams.
Brid zegt: Sweat dreams 2U2...

Brid klapt haar laptop dicht, loopt naar de hutkoffer en haalt alle knuffels er weer uit.

In één beweging scheurt ze de oude, versleten voering weg. Ze loopt naar de keuken om zeezout te gaan halen en strooit dat in de vier hoeken en over de bodem van de koffer. Als ze morgen het zout er weer uit opzuigt, mag de hutkoffer aan een heel nieuw leven beginnen. In de serre. Met potten lavendel erin, lavendel van oma. Uit opa's tuin.

39

'Hé.'

'Hoi.'

Brid en Menno geven elkaar een kus.

Een echte.

Midden op het schoolplein.

Waar iedereen bij staat.

Dan kijken ze elkaar in de ogen.

En verdrinken erin.

Menno slaat zijn armen om haar heen.

Brid beantwoordt zijn omhelzing.

Omstanders gniffelen.

Of joelen.

Of kijken jaloers.

Of juist vertederd.

Het maakt Brid en Menno niet uit.

Ze merken het niet eens.

Op dit moment zijn zij, heel even, elkaars enige in de wereld...

40

Een rode, marmeren plaat siert het hoofdeinde van het graf. Oma ligt er nu niet meer alleen, opa is bij haar. Hun namen en geboorte- en sterfdata staan in het marmer gebeiteld.

'O jee...' zegt Helena ineens geschrokken. Dan begint ze te giechelen. 'Mama's geboortejaar staat er nog steeds verkeerd op. Vergeten door te geven.'

Toen haar moeder doodging had Helena haar gegevens aan de steenhouwer doorgegeven. Per ongeluk had Helena haar moeder een jaar later geboren laten worden. Nu opa's naam erbij gegraveerd moest worden, had ze die fout willen herstellen.

Ray grinnikt. 'Je moeder werd dolgraag jonger geschat. Ze heeft het je láten vergeten. Zie je dat ze nog steeds invloed op je heeft?'

'Vanaf vandaag niet meer,' zegt Helena lacherig. 'Nu is het gedonder afgelopen.'

Ze blijven nog even staan.

Helena haalt wat onkruid weg.

Ineens weet Brid waar de rest van de lavendel uit oma's tuin heen moet.

Hierheen.

Brid zegt: We waren op de begraafplaats vandaag.

Mia zegt: Lag opa er nog of was hij 'm gesmeerd?

Brid zegt: Ha ha.

Mia zegt: Was het raar om er te zijn?

Brid zegt: Nee, eigenlijk niet. Al krijg ik wel altijd een beetje een raar gevoel op een begraafplaats. Aan de ene kant voelt het verdrietig, aan de andere kant juist heel rustig. Zelfs bij de kindergraven. Eerst schrik je van zo'n graf. Vooral als het er 'zielig' uitziet, met windmolentjes en speelgoed en knuffelbeesten. Of nog erger: met foto's van de kinderen. Vaak staan er ook verdrietige teksten op de steen, of ligt er een gedicht bij, in plastic...

Mia zegt: Ja, janken is dat.

Brid zegt: Hun leven was af, net als dat van opa. Hoewel je leven volgens mij leuker af is als je pas doodgaat als je oud bent...

Na hun chatsessie haalt Brid haar hardloopschoenen tevoorschijn en verwisselt haar spijkerbroek en rode, katoenen trui voor ademende sportkleding. Maar ze is nog geen vijf minuten in het park, of ze houdt haar pas alweer in. Haar adem stokt.

Daar loopt hij. Achter een rolstoel. Met daarin een jonge vrouw met lang, bruin haar. Met ingetogen blik duwt Kot de rolstoel voort.

Brid haalt diep adem, twijfelt heel even, maar loopt dan vastberaden op hem af.

'Meneer Kot,' zegt ze zachtjes.

Hij kijkt op. Heel even lijken zijn ogen zich te vernauwen. Dan kijkt hij haar met een bijna verontschuldigende blik aan.

'Hoe wist je het?' vraagt hij. 'Hoe wist je dat ze ziek was?'

Brid schrikt van zijn directheid.

'Eh...' stamelt ze. Ze bijt op haar lip. Wat moet ze hier nou weer op zeggen? 'Ik, eh, "zie" soms dingen...' zegt ze dan.

Kot knikt. Zwijgend kijkt hij haar aan.

'Het spijt me,' zegt Brid snel voordat ze het niet meer durft. 'Het spijt me wat ik allemaal heb gezegd...'

Kot kijkt haar recht in de ogen. 'Het spijt mij ook...'

De vrouw in de rolstoel heft haar hoofd en kijkt Brid aan. Ze ziet er moe uit, maar haar bruine ogen sprankelen.

'Dag,' zegt ze met een open glimlach. 'Ben jij een leerling van mijn vader?'

Vader?

Brids mond zakt open. Ze kijkt van Kot naar de jonge vrouw en terug.

Is de zieke vrouw zijn dóchter?

Ze voelt zich duizelig worden. Beelden flitsen voorbij, als bij een te snel afgedraaide speelfilm.

Een klein meisje strekt haar armen naar haar vader uit. Haar vader ziet het niet. Hij is te druk met andere dingen. En met zichzelf. Stapels boeken voor zijn neus, een frons in zijn voorhoofd. Een school, drukke kinderen in een klas. Hij wil dit eigenlijk helemaal niet. Het kleine meisje wordt groot. En wordt ziek... Ineens smijt de vader zijn boeken dicht. En de schooldeur. Genoeg is genoeg.

Brid knippert met haar ogen. De beelden verdwijnen weer. Ze voelt dat haar wangen rood kleuren. Met terugwerkende kracht schaamt ze zich kapot. De visioenen die ze in de klas had gehad, waren helder genoeg geweest – ze had ze alleen helemaal verkeerd uitgelegd...

De jonge vrouw in de rolstoel kijkt nog steeds met een vragende glimlach naar haar op.

'Eh...' stamelt Brid, die haar nog steeds geen antwoord heeft gegeven. 'Ja, ik ben een leerling van je vader...' Haar blik wordt weer naar Kot getrokken, die zijn dochter vertederd bekijkt.

En voor het eerst in haar leven zíét Brid geen aura, maar vóélt ze hem... De aura van Kot is niet meer bruin, hij is juist licht, merkt ze. Brid houdt haar adem in.

Hij komt niet meer terug naar school. Hij gaat voor zijn dochter zorgen. En daarmee voor zichzelf...

Het gezicht van opa verschijnt voor haar geestesoog. Hij kijkt haar glimlachend aan.

'De liefde komt in vele gedaantes,' klinkt zijn stem. *'Zoals je ziet, zijn dingen soms heel anders dan ze lijken...'*

Tranen prikken achter Brids ogen. Ze zou iets tegen Kot willen zeggen, maar ze weet niet wat.

'Ik, eh... stamelt ze.

'Het is oké,' zegt hij. 'Ik begrijp er niks van hoe iemand dingen kan "zien", maar je had het bij het rechte eind. Ik schrok me rot om wat je zei. Het ging alleen niet over mijn vróúw...'

'Ik vind het zo erg, ik had het allemaal nooit moeten zeggen,' flapt Brid eruit.

Kot haalt zijn schouders op. 'Soms is er een druppel nodig die de emmer doet overlopen. Jij was die druppel. Gelukkig maar, anders had ik misschien nog wel op school rondgelopen.' Hij glimlacht en wijst met een groot gebaar naar het park om hem heen. 'En nu loop ik hier, met mijn dochter.'

Hij steekt zijn hand naar Brid uit. 'Dus misschien moet ik je juist wel bedanken.'

Verlegen drukt Brid hem de hand. Een moment kijken ze elkaar zwijgend aan. Voor het eerst ziet Brid de kleur van zijn ogen: groen.

Dan, na een korte hoofdknik, zet hij de rolstoel weer in beweging en loopt verder het park in. Met een lichte, ontspannen tred.

41

De volgende avond haalt Brid haar schrift tevoorschijn. Ze leest de drie woorden die ze met rode viltstift op de voorkant heeft geschreven: *Over van alles*

Ze haalt de dop van diezelfde rode vilstift, maakt van de punt een komma en schrijft er dan met vaste hand achter: *maar vooral over de liefde*

Even laat ze haar blik op de zin rusten.

Dan opent ze het schrift op een nieuwe pagina.

Ik ben vandaag met papa naar het kerkhof teruggegaan. Op de Harley. Met een tuinschepje en lavendelplanten. We hebben er een goede plek voor gevonden, aan alle kanten van de steen, ook erachter. 'Achter wonen ook mensen,' schijnt oma vroeger vaak gezegd te hebben. Dan had ze het wel over haar kleren en haar gepermanente haar (dat er aan de achterkant ook allemaal goed uit moest zien), maar toch. Opa hield natuurlijk ook heus wel van oma als haar kapsel niet goed zat of als de zoom van haar jurk onder haar jas vandaan kwam, dat weet ik zeker. En als er een god bestaat, dan maakt het Hem (of Haar) natuurlijk ook niks uit hoe je eruitziet. Als je alleen maar van iemand kunt houden als alles

zogenaamd helemaal perfect is, zou niemand meer van iemand houden...
Het gaat nu weer heel goed tussen Ray en Helena, maar of ze hun hele leven bij elkaar blijven, weet ik natuurlijk niet. Ook weet ik niet of Frans en Evelien samen oud zullen worden, of Mia met haar volgende lover, of zelfs ik met Menno... Of dat ik voor altijd vriendin blijf met Emma.
Je weet nooit iets van tevoren, en dat is maar goed ook.

Ik wil ook niet weten hoe lang papa en mama nog leven, want als ik eraan denk dat ze doodgaan, word ik heel verdrietig.

Maar áls ze doodgaan, krijgen ze niet zo'n saaie steen op hun graf, dat weet ik wel. Ze krijgen er een van glas. Eentje waar je doorheen kunt kijken. Als een raam dat uitkijkt op een andere wereld... Een wereld die je anders niet kunt zien...

Lees ook de andere boeken van Tiny Fisscher

Stel je voor, je bent aan het winkelen met je beste vriendin. En opeens word je aangesproken door iemand van een Engels modellenbureau, die je vraagt om voor een *testshoot* naar Londen te komen. Dit overkomt Steph in *Ontdekt! Dagboek van een aanstormend model.* Hierna ontdekt ze hoe het is om een beginnend model te zijn. En dat het geen gemakkelijke weg is naar de top.

In *Beroemd! Dagboek van een model* beschrijft Tiny Fisscher hoe het Steph vergaat na haar eerste ervaringen in de modellenwereld. Na haar tijd in Japan werkt en woont Steph als professioneel model in Milaan en Barcelona. In *Beroemd!* is te lezen dat het modellenleven niet alleen bestaat uit glitter en glamour. Zelfs niet als Steph de kans krijgt een grote show te lopen in Monaco.

Steph kan het bijna niet geloven. Net op het moment dat haar carrière in het slop lijkt te raken, krijgt ze een contract aangeboden bij een groot modellenbureau in New York! Maar voordat ze echt aan de slag kan in de meest begeerde stad van de modellenwereld, moet Steph nog wel de nodige obstakels overwinnen. Niet alleen als model, maar ook in de liefde.

Tess en Sue zijn allebei zestien jaar oud en leren tijdens hun vakantie op Kreta Nikos kennen, die hun aanraadt naar het populaire strandpark Star Beach te gaan. Sunny, de Australiër die voor Star Beach werkt, biedt de vriendinnen daar zelfs een zomerbaantje aan. Nadat ze hun ouders hebben overgehaald, kan het feest beginnen. Sue wordt verliefd op de Nederlandse Eric. Maar is ze wel klaar voor een vast vriendje? Ook Tess worstelt met de liefde. Stiekem is ze erg onder de indruk van Sunny, maar het lijkt erop dat hij iets voor haar verborgen houdt...